FALE!

FINALISTA
National Book Award

HONRA AO MÉRITO
The Michael L. Printz Award for Excellence in Young Adult
Literature (www.ala.org/yalsa/printz)

FINALISTA
Edgar Allan Poe Award

FINALISTA
Los Angeles Times Book Prize

VENCEDOR
SCBWI Golden Kite Award (Associação Americana dos Autores
e Ilustradores de Livros Infantis)

10 Melhores Livros do Ano para Jovens Adultos da Associação
Americana de Bibliotecas (ALA)

Booklist — 10 Melhores Romances do Ano

Publishers Weekly — Best-seller e Melhores Romances do Ano

BCCB Blue Ribbon Book

School Library Journal — Melhor Livro do Ano

Horn Book Fanfare Title

New York Times Best-seller

Vencedor de 8 concursos literários estaduais
e finalista de 11 nos EUA.

LAURIE HALSE ANDERSON

FALE!

Tradução
Flávia Carneiro Anderson

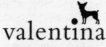

Rio de Janeiro, 2022
6ª Edição

Copyright © 1999 *by* Laurie Halse Anderson
Publicado mediante contrato com Farrar, Straus and Giroux, LLC.

TÍTULO ORIGINAL
Speak

CAPA
Raul Fernandes

FOTO DA AUTORA
Joyce Tenneson

DIAG RAMAÇÃO
FA studio

Impresso no Brasil
Printed in Brazil
2022

CIP–BRASIL. CATALOGAÇÃO NA FONTE
SINDICATO NACIONAL DOS EDITORES DE LIVROS, RJ

A547f
6. ed.

Anderson, Laurie Halse, 1961-
Fale! / Laurie Halse Anderson; tradução de Flávia Carneiro Anderson. —
6. ed. — Rio de Janeiro: Valentina, 2022.

248p. : 21 cm

Tradução de: Speak

ISBN 978-85-65859-07-3

1. Ficção americana. I. Anderson, Flávia Carneiro. II. Título.

CDD: 813

Todos os livros da Editora Valentina estão em conformidade com
o novo Acordo Ortográfico da Língua Portuguesa.

Todos os direitos desta edição reservados à

EDITORA VALENTINA
Rua Santa Clara 50/1107 – Copacabana
Rio de Janeiro – 22041-012
Tel/Fax: (21) 3208-8777
www.editoravalentina.com.br

Queridos amigos,

Dez anos? Já faz tudo isso que *Fale!* foi publicado? Impossível!

Bem, já criei quatro filhos desde o lançamento deste livro. Mudei-me três vezes. Escrevi seis romances. E surgiram mais rugas no meu rosto e quilômetros nos meus ossos. Mas, dez anos? De jeito nenhum.

Não parece possível porque, no fundo, ainda tenho quatorze anos. Lembro-me com tanta clareza de ter me sentido como Melinda, que fico chocada quando vejo minha data de nascimento na carteira de identidade. Lembro-me da empolgação, da ansiedade, do caos. Lembro-me da sensação de ter que calar.

E muitos de vocês também se recordam dela.

Na última década, falei com mais de meio milhão de alunos do Ensino Médio sobre *Fale!*. Já perdi a conta da quantidade de cartas e e-mails que li, bem como das lágrimas derramadas nos meus ombros por leitores que se identificaram com a luta de Melinda. Vocês anseiam por falar. Só precisam de mais adultos que os escutem.

Eu gostaria de pensar que, em uma pequena escala, *Fale!* os está ajudando a encontrar suas vozes. Mas esta obra é só um instrumento. Os verdadeiros heróis e heroínas são os que olharam para dentro de si — para além do medo, da vergonha, da depressão e da raiva — e criaram CORAGEM para contar as suas histórias. Tenho o mais profundo respeito por elas.

Em seu livro *The Heart of a Woman*, Maya Angelou escreveu: "Com sorte, sua visão solitária pode transformar um milhão de realidades."

Eu tenho uma sorte extraordinária. Este livro ajudou uma geração de leitores a dar alguns passos em seu longo caminho rumo à idade adulta. Vocês, por sua vez, ajudaram-me a trilhar a minha própria jornada. Considero-me abençoada.

Que vocês sempre tenham a coragem de falar.

Nota do Editor: Fale! *foi publicado em 1999, nos Estados Unidos, e, desde então, tornou-se um dos maiores sucessos da literatura jovem. Aclamado pela crítica,* Fale! *se transformou em um fenômeno editorial, gerando discussão e debate nas principais escolas daquele país. O texto que você acabou de ler foi elaborado para abrir a edição comemorativa dos dez anos de lançamento desta obra-prima, finalmente publicada no Brasil.*

A Sandy Bernstein,
que me ajudou a encontrar minha voz,
e a meu marido, Greg,
que me escuta

ESCUTE!

Vocês escreveram
De Houston, Brooklyn, Rye, Nova York, Peoria
Los Angeles, Detodasaspartes dos EUA para a minha
Caixa de correio, as minhas páginas no My
Space Face
Book
Um blog de bffs sussurrando
Cemmil murmúrios para mim e Melinda.

Você:
Também fui estuprada
violentada na sétima série,
no segundo ano, no verão depois da formatura,
numa festa
eu tinha 16
eu tinha 14
eu tinha 5, e ele fez isso durante três anos
eu amava o cara
nem conhecia o sujeito.
Ele era o irmão da minha melhor amiga,
O meu avô, o meu pai, o companheiro da minha mãe,
o meu namorado
o meu primo
o meu técnico
eu me encontrei com ele pela primeira vez naquela noite, e —
quatro caras se revezaram, e —
sou um garoto, isso aconteceu comigo, e —

... Eu fiquei grávida, aí dei a minha filha para adoção...
isso aconteceu com você, também?
vc tb?

Você:
eu não fui estuprada, mas
meu pai bebe, mas
eu detesto falar, mas
meu irmão levou um tiro, mas
eu me sinto excluída, mas
meus pais se separaram, mas
eu não pertenço a nenhuma tribo, mas
a gente perdeu a nossa casa, mas
eu tenho segredos — sete anos deles
e eu me corto
eu e minhas amigas nos cortamos
todas nós nos cortamos cortamos cortamos
para aliviar a dor

... meu primo de cinco anos foi estuprado — ele está
começando a demonstrar isso, agora...
você pensa em cometer suicídio?
tem vontade de matar o cara?

Você:
Melinda se parece muito com uma garota que eu conheço
Não, ela se parece muito
(comigo)
Sou MelindaSarah
Sou MelindaRogelio sou MelindaMegan,
MelindaAmberMelindaStephenToriPhillipNavdiaTiaraMateoKristinaBeth
ainda dói, mas
mas
mas
mas
este livro me fez sair da concha
continua a doer, eu estou bolada, mas
o seu livro me fez sair da concha

Você:
Eu chorei quando li a história.
ri quando a li
é uma idiotice?
eu me sentei com a menina —
sabe, aquela menina —
Eu me sentei com ela porque ninguém faz isso no almoço
e eu sou cheerleader, sabe.
Fale! mudou a minha vida
me tirou da concha
me fez pensar
nas festas
me deu
asas este livro
abriu a minha boca
eu sussurrei, eu gritei
arregacei as mangas eu
detesto falar mas
estou tentando.

Você fez com que eu me lembrasse de quem sou.
Valeu.

Obs.: A nossa turma vai mergulhar de cabeça neste livro.

Eu:
Eu:
Eu: *aos prantos*

Com exceção da primeira e da última estrofes, esse poema foi feito com frases e palavras extraídas de milhares de cartas e e-mails recebidos por Laurie nos últimos dez anos.

BEM-VINDO AO ENSINO MÉDIO DO COLÉGIO MERRYWEATHER

É o meu primeiro dia no ensino médio. Estou com sete cadernos novos, uma saia ridícula e dor de barriga.

O ônibus para, chiando, na minha esquina. A porta abre, e eu subo. Sou a primeira que ele pega no dia. O motorista se afasta da calçada, comigo ainda parada no corredor. Onde é que eu vou me sentar? Nunca fui como a galera bagunceira que fica lá no fundo. Se eu for para o meio, um estranho pode vir sentar do meu lado. E lá para a frente, vai parecer que sou uma criancinha, mas acho que é a melhor forma de conseguir olhar nos olhos de uma das minhas amigas, se é que alguma delas resolveu parar de me dar gelo.

O transporte pega os alunos em grupos de quatro ou cinco. À medida que a galera passa pelo corredor, os que fizeram ginástica ou aulas de laboratório comigo, no ensino fundamental, ficam me encarando. Fecho os olhos. Era isso o que eu temia. Quando finalmente entra o último aluno, sou a única sentada sozinha.

O motorista reduz a velocidade para o ônibus subir com esforço as ladeiras. O motor solta um estalido, que leva os caras lá do fundo a gritarem uns troços obscenos. Alguém passou colônia demais. Eu tento abrir a janela, mas o trinco está emperrado. Um garoto atrás de mim desembrulha o café da manhã e joga o papel atrás da minha cabeça, daí o embrulho cai no meu colo — migalhas de bolinho.

A gente passa pelos funcionários da manutenção, que estão pintando a placa na frente do colégio. Como o conselho escolar concluiu que "Ensino Médio do Colégio Merryweather – Sede dos Troianos"* não transmitia com a devida veemência a mensagem da abstinência, acabaram nos transformando nos Diabos Azuis. Melhor encarar um demônio conhecido do que uma camisinha desconhecida, eu acho. Mas as cores da escola vão continuar sendo preto e roxo. O conselho não estava a fim de comprar uniformes novos.

Os alunos mais velhos podem ficar perambulando até o sinal tocar, mas os do primeiro ano são conduzidos como rebanho até o auditório. A gente se divide em tribos: Atletas, Clubbers, Pseudointelectuais, Cheerleaders, Lixo Humano, Euro-ralé, Futuros Fascistas Americanos, Minas Cabeludas, as Marthas, Artistas em Crise, Jovens Atores, Góticos, Esportistas Radicais. Eu não pertenço a nenhuma. Desperdicei as últimas semanas de férias vendo desenhos idiotas. Não fui para o shopping, nem para o lago, nem para a piscina, nem atendi ao telefone. Entrei no ensino médio com o corte de cabelo errado, as roupas erradas, a atitude errada. E não tenho ninguém com quem possa me sentar.

Sou Excluída.

Não faz a menor diferença procurar as minhas ex-amigas. A nossa tribo, as Basiconas, se fragmentou e os cacos estão sendo

---

* Trojan (troiano), nos EUA, também é o nome de uma famosa marca de camisinha. (N.T.)

recolhidos pelas facções rivais. A Nicole passa o tempo com os Atletas, comparando as cicatrizes conquistadas nos torneios de verão. A Ivy oscila entre os Artistas em Crise, de um lado do corredor, e os Jovens Atores, do outro. Tem bastante personalidade para circular entre as duas galeras. A Jessica se mudou para Nevada. Não chegou a ser uma perda. Era mais amiga da Ivy, de qualquer forma.

A galera atrás de mim solta uma gargalhada tão estridente que eu sei que está rindo de mim. Aí, não resisto. Acabo me virando. É a Rachel, cercada de um bando de garotos usando roupas que, com certeza, não são do shopping da Zona Leste. Rachel Bruin, minha ex-melhor amiga. Ela olha fixamente para um ponto acima da minha orelha esquerda. As palavras sobem pela minha garganta. Essa foi a garota que teve que aguentar as atividades de escoteira comigo, que me ensinou a nadar, que entendeu a questão dos meus pais, que não ficou debochando do meu quarto. Se tem alguém na galáxia inteira para quem eu estou louca para contar o que realmente aconteceu, é a Rachel. A minha garganta está pegando fogo.

Ela me olha por alguns instantes. Diz com os lábios, em silêncio: "Eu te odeio." Então, vira as costas e ri com os amigos. Mordo o lábio. Não vou ficar pensando nisso. Foi péssimo, mas já acabou, e não vou ficar pensando nisso. Meu lábio sangra um pouco. Sinto gosto de ferrugem. Preciso me sentar.

Fico parada no corredor central do auditório, como uma zebra ferida de um documentário do *National Geographic*, procurando alguém, qualquer pessoa, para me sentar ao lado. Um predador se aproxima: cabelos grisalhos, corte estilo militar e apito pendurado no pescoço mais grosso que a cabeça. Na certa um professor de estudos sociais, contratado para ser o técnico de um esporte sangrento.

Mister Pescoço: — Sente-se.

Puxo uma cadeira. Outra zebra ferida se vira e sorri para mim. Está com pelo menos umas cinco mil pratas investidas num aparelho ortodôntico, mas usa uns sapatos legais. — Sou a Heather, de Ohio — diz. — Sou nova aqui. Você, também? — Nem tenho tempo de responder. O ambiente começa a escurecer, aí dão início à doutrinação.

AS DEZ PRIMEIRAS MENTIRAS
CONTADAS NO ENSINO MÉDIO

1. Estamos aqui para ajudá-los.
2. Vocês terão tempo suficiente para chegar à sala antes que o sinal toque.
3. As normas de vestir serão fiscalizadas.
4. É proibido fumar nas dependências do colégio.
5. Este ano o nosso time de futebol americano vai ganhar o campeonato.
6. Esperamos mais de vocês aqui.
7. Os orientadores educacionais estão sempre dispostos a escutá-los.
8. A grade de horário foi planejada com base nas suas necessidades.
9. A combinação dos cadeados é secreta.
10. Vocês sentirão saudade do tempo passado aqui conosco.

A minha primeira aula é de biologia. Não consigo encontrar a sala e ganho a primeira advertência por ficar perambulando no corredor. São 8:50 da manhã. Só faltam 7 tempos de aula e 699 dias para a formatura.

OS NOSSOS PROFESSORES SÃO OS MELHORES...

A minha professora de inglês é uma mulher sem rosto. Seu cabelo, fino e despenteado, bate nos ombros. Da raiz até as orelhas é preto, e daí até as pontas frisadas, laranja-cheguei. Difícil decidir se o cabeleireiro está pê da vida com ela ou se está se transmutando numa borboleta monarca. Eu a chamo de Dona Juba.

A Dona Juba perde uns vinte minutos fazendo a chamada, já que não enxerga a gente. Inclina a cabeça sobre a mesa, o que faz com que os seus cabelos caiam no rosto. Passa o resto da aula escrevendo no quadro-negro e explicando, virada para a bandeira, o que é preciso ler. Quer que a gente escreva no diário de classe todo dia, mas promete que não vai ler. Eu escrevo comentando como ela é esquisitona.

A gente tem diário na aula de estudos sociais, também. O colégio deve ter conseguido um bom preço nesses diários. Estamos estudando história dos EUA pela nona vez em nove anos. Vamos ter outra recapitulação sobre leitura de mapas, uma semana de estudo sobre os ameríndios e, em seguida, veremos Cristóvão Colombo um pouco antes do Dia do Descobrimento da América e os Peregrinos um pouco antes do Dia de Ação de Graças. Todo ano dizem que vamos chegar à atualidade, mas sempre empacamos na Revolução Industrial. Na sétima série, a gente conseguiu ir até a Primeira Guerra Mundial — quem diria que teve uma guerra entre o mundo inteiro? Precisaríamos de mais feriados para que o professor de estudos sociais conseguisse seguir o cronograma.

O meu professor de estudos sociais é o Mister Pescoço, o mesmo que me mandou sentar no auditório. Ele se lembra carinhosamente de mim. — Estou de olho em você. Fileira da frente.

Também gostei de te rever. Aposto que sofre de transtorno de estresse pós-traumático. Vietnã ou Iraque — uma dessas duas guerras da TV.

CENTRO DAS ATENÇÕES

Encontro o meu armário depois da aula de estudos sociais. O cadeado estava meio travado, mas abriu. Mergulho na correideira do rio de alunos que almoçam no quarto tempo e nado pelo corredor até o refeitório.

Sei muito bem que é melhor não trazer comida de casa no primeiro dia de aula no ensino médio. Sabe-se lá qual é a maneira mais aceitável. Sacos de papel pardo — um simples indício de quem mora nos bairros residenciais elegantes ou um treco totalmente nerd? Lancheiras térmicas — um jeito legal de salvar o planeta ou sinal de uma mãe superprotetora? Comprar é a única solução. E me dá tempo de sondar o refeitório em busca de um rostinho amigo ou de um cantinho imperceptível.

O prato quente é peru com purê de batata instantâneo, servido com molho, uma verdura viscosa e um cookie. Não sei bem como pedir outra coisa, daí simplesmente deslizo a bandeja pelo balcão e deixo que os serventes autômatos encham o meu prato. O aluno do último ano, de dois metros e meio, na minha frente, ganha três cheeseburgers, batata frita e dois bolinhos, sem dizer uma única palavra. Sabe-se lá, de repente o cara passa algum tipo de código Morse só com os olhos. Preciso pesquisar isso melhor. Sigo o Girafa até as mesas.

Vejo algumas amigas — pelo menos, eu achava que eram —, mas elas desviam os olhos. Pense rápido, pense rápido. Lá está aquela garota nova, Heather, lendo perto da janela. Eu podia me sentar na frente dela. Ou ir rastejando até a parte de trás da lata de lixo. Ou quem sabe jogar o meu almoço fora e rumar direto para a saída.

O Girafa acena, desengonçado, para os amigos sentados a uma mesa. Claro. O time de basquete. Vão xingá-lo — uma saudação esquisita usada pelos atletas espinhentos. Ele sorri e joga um bolinho. Tento contornar o cara.

Plaft! Uma massa de batata ao molho me atinge no meio dos peitos. A conversa para totalmente enquanto todo mundo no refeitório fica olhando, boquiaberto, e os detalhes do meu rosto incandescente vão queimando aquelas retinas. Vou ser conhecida para sempre como "a garota que tomou um banho de purê no primeiro dia". O Girafa pede desculpas e faz um comentário qualquer, mas quatrocentas pessoas caem na gargalhada, impossível fazer leitura labial. Jogo a minha comida fora e me dirijo a toda velocidade para a saída.

Minha fuga é tão rápida, que se o técnico de atletismo estivesse ali me observando, teria me escalado para o time. Mas não, é o Mister Pescoço que está tomando conta do refeitório. E garotas que correm cem metros em menos de dez segundos não têm a menor utilidade para ele, a menos que quisessem fazer isso com uma bola de futebol americano embaixo do braço.

Mister Pescoço: — E nos encontramos outra vez.

Eu:

Será que ele daria ouvidos ao "Preciso ir para casa trocar de roupa" ou "Viu só o que aquele mané fez?". De jeito nenhum. Fico de boca calada.

Mister Pescoço: — Aonde é que a senhorita pensa que vai?

Eu:

É mais fácil não dizer nada. Fechar a matraca, passar o zíper, calar o bico. Toda aquela babaquice que você escuta na TV sobre se comunicar e expressar o que sente não passa de uma mentira. Ninguém quer realmente ouvir o que você tem a dizer.

O Mister Pescoço anota algo na caderneta. — Eu sabia que você arranjaria encrenca assim que a vi. Dou aula aqui há vinte e quatro anos e consigo captar o que passa na cabeça de um aluno só de olhá-lo nos olhos. Chega de aviso. Você acaba de ganhar uma advertência por perambular pelo corredor sem autorização.

SANTUÁRIO

A aula de artes vem depois do almoço, como um sonho bom depois do pesadelo. A sala fica lá no final do colégio, e tem janelas amplas, voltadas para o sul. Como não se vê muito o sol em Syracuse, aquela foi projetada para aproveitar cada fio de raio solar. Está encardida mas, tipo assim, de um jeito meio que sujo-limpo. No chão se veem camadas e mais camadas de manchas secas de tinta, as paredes estão cobertas de desenhos de filhotinhos de cachorro gorduchos e adolescentes atormentados, e as estantes, cheias de potes de cerâmica. O rádio está ligado na minha estação favorita.

O prof. Freeman é feio. Tem um corpão de gafanhoto velho, como um daqueles caras no circo que usam pernas de pau. O nariz parece um cartão de crédito enfiado entre os olhos. Mas ele sorri para nós quando entramos em fila na sala.

Ele está encurvado sobre um pote girando, as mãos avermelhadas, por causa da argila. — Bem-vindos à única aula que vai ensiná-los a sobreviver — diz o professor. — Bem-vindos à Arte.

Eu me sento a uma mesa perto da mesa dele. Ivy está nesta turma. Ela se senta perto da porta. Fico encarando a garota, tentando fazer com que me olhe. Esse tipo de coisa acontece nos filmes — as pessoas sentem quando as outras olham fixamente para elas e precisam se virar e dizer algo. Ou a Ivy tem um campo de força fenomenal, ou a minha visão de raio laser não é lá essas coisas. Não me olha. Eu queria poder me sentar com essa garota. Ela entende de arte.

O prof. Freeman desliga a roda e pega um pedaço de giz sem nem lavar as mãos. "ALMA", escreve no quadro. Filetes de argila riscam a palavra, parecendo sangue seco. — É aqui que vocês encontrarão suas almas, se ousarem. Que poderão achar aquele lado de vocês que jamais se atreveram a ver antes. Não me venham pedir que lhes mostre como desenhar um rosto. Venham pedir, isso sim, que eu os ajude a encontrar o vento.

Dou uma espiada atrás de mim. O telégrafo das sobrancelhas está funcionando a todo vapor. Esse cara é esquisitérrimo. E deve saber, deve sacar o que a gente está pensando. Diz que nós vamos nos formar sabendo ler e escrever porque passaremos um milhão de horas aprendendo a ler e escrever. (Eu podia contestar isso.)

Prof. Freeman: — Por que não passar esse tempo lidando com arte: pintando, esculpindo, trabalhando com carvão, pastel e tinta a óleo? As palavras e os números são mais importantes que as imagens? Quem foi que disse isso? Por acaso a álgebra os comove a ponto de fazê-los chorar? (Alguns alunos levantam a mão, achando que ele quer respostas.) O pronome possessivo plural expressa o que sentem no fundo do coração? Se não aprenderem artes agora, nunca aprenderão a respirar!!!

Vou te contar! Para quem questiona o valor das palavras, ele usa um montão delas. Eu me desconecto por um tempo e volto ao mundo quando ele está segurando um globo terrestre imenso, no qual falta metade do Hemisfério Norte. — Alguém pode me dizer o que é isto? — pergunta ele. — Um globo? — arrisca um aluno nos fundos da sala. O prof. Freeman revira os olhos. — Uma escultura supercara que algum garoto deixou cair e acabou tendo que cobrir o prejuízo usando o dinheiro da mesada, senão não ia poder se formar? — sugere outro.

O prof. Freeman suspira. — Imaginação zero. Quantos anos vocês têm, treze? Quatorze? E já permitiram que matassem a criatividade de vocês! Este é um velho globo, que as minhas filhas costumavam chutar no meu estúdio, quando estava chovendo demais para que brincassem do lado de fora. Um dia, Jenny meteu o pé direito no Texas, e os Estados Unidos afundaram no mar. E *voilà*, uma ideia! Esta bola amassada podia ser usada para expressar visões impactantes: daria para desenhá-la com gente saindo do buraco, daria para desenhá-la com um cachorro molhado, de focinheira, mordendo o Alasca, enfim, as possibilidades são infinitas. Chega a ser quase demais, mas vocês são importantes o bastante para receber isso.

Hein?

— Cada um de vocês vai tirar um pedaço de papel de dentro do globo. — Ele caminha pela sala para que possamos puxar as tiras vermelhas do centro da terra. — Nele vocês vão encontrar uma palavra, o nome de um objeto. Espero que gostem dele. Vão passar o resto do ano aprendendo a transformá-lo numa obra de arte. Farão esculturas, moldes de papel machê, entalhes, desenhos, tudo com base nele. Se este ano o professor de informática estiver falando comigo, poderão usar o laboratório para fazer esboços no computador. Mas com uma condição: até o final do ano, terão que encontrar uma forma de fazer com que o seu objeto diga algo, transmita uma emoção, fale com as pessoas que o observarem.

Alguns alunos soltam resmungos. Eu sinto um friozinho na barriga. Ele vai deixar mesmo a gente fazer isso? Que máximo! O prof. Freeman para perto da minha mesa. Meto a mão no fundo do globo e fisgo o meu pedaço de papel. — Árvore. — Árvore? É fácil demais. Sei desenhá-las desde a segunda série. Então, estendo o braço para pegar outra tira. O professor balança a cabeça. — Hum-hum-hum. Você acabou de escolher o seu destino e não pode mais mudá-lo. — Em seguida ele pega um balde de argila debaixo da roda, forma bolas do tamanho de punhos e as joga para cada um de nós. Então, aumenta o volume do rádio e ri. — Bem-vindos à jornada.

ESPAÑOL

A minha professora de espanhol vai tentar passar o ano inteirinho sem falar inglês com a gente. O que é ao mesmo tempo divertido e útil — vai ser muito mais fácil ignorar a peça. Ela se comunica por meio de gestos exagerados e teatrais. É como ter aula por meio de charadas. A mulher diz algo em espanhol e leva as costas da mão à testa. "Você está com febre!", grita uma aluna. Ela balança a cabeça, negando, e repete o gesto. "Está prestes a desmaiar!" Não. Daí vai até o corredor e volta, para então entrar de supetão, parecendo atarefada e atabalhoada. Então se vira para nós, dá a impressão de ficar surpresa ao ver a gente e repete o gesto das costas da mão na testa. "Você se perdeu!" "Ficou brava!" "Está no colégio errado!" "Está no país errado!" "Está no planeta errado!"

A professora tenta outra vez e bate com tanta força na própria testa que chega até a cambalear um pouco. A testa fica tão rosa quanto o batom da figura. As adivinhações continuam: "Não acredita na quantidade de garotos que tem na sala de aula!" "Não lembra como falar espanhol!" "Está com dor de cabeça!" "Vai ficar com enxaqueca se a gente não descobrir o que é isso!"

Desesperada, ela escreve uma frase em espanhol no quadro-negro: *Me sorprende que estoy tan rendida hoy.* Ninguém faz a menor ideia do que significa. Tipo assim, não entendemos espanhol, e é por isso que estamos aqui. Daí alguns espertinhos pegam o dicionário. Passamos o resto da aula tentando traduzir a frase. Quando toca o sinal, o mais perto que chegamos é "o dia se esgotou sem surpresas hoje".

DEVER. CASA.

Enfrento as duas primeiras semanas de colégio sem ter nenhuma crise de nervos atômica. A Heather, de Ohio, senta junto comigo no almoço e me liga para conversar sobre o dever de casa de inglês. Ela consegue tagarelar por horas a fio. Eu só tenho que apoiar o telefone na orelha e soltar um "a-hã" de vez em quando, enquanto fico mudando os canais de TV. A Rachel e todo mundo que eu conheço há nove anos continuam a me dar gelo. Esbarram em mim pra caramba nos corredores. Algumas vezes os meus livros chegaram até a ser arrancados acidentalmente dos meus braços e jogados no chão. Faço o possível para ignorar essas paradas. Com o tempo, vão ter que passar.

No início, minha mãe conseguia preparar numa boa o jantar de manhã e metê-lo na geladeira, mas eu sabia que mais cedo ou mais tarde aquilo ia acabar. Assim que entro em casa, acho o bilhete: "Pizza. 555-4892. Pouca gorjeta desta vez." Anexada a ele está uma nota de vinte. A minha família tem um esquema interessante. A gente se comunica por meio de bilhetes no balcão da cozinha. Eu anoto quando preciso de material escolar ou de uma carona até o shopping. Eles deixam anotado a que horas devem chegar do trabalho e se preciso tirar alguma coisa para descongelar. O que mais há para dizer?

Minha mãe está tendo problemas com funcionários de novo. Ela é gerente da Effert's, uma loja de roupas que fica no Centro. A chefe dela chegou a oferecer a filial do shopping, mas ela não quis. Acho que gosta da reação das pessoas quando diz que trabalha no Centro da cidade. "Você não tem medo?", perguntam. "Eu não trabalharia lá nem morta." A minha mãe curte bastante fazer o que as outras pessoas têm medo de fazer. Poderia muito bem ter sido uma encantadora de serpentes.

É que a localização no Centro da cidade dificulta a contratação de pessoal. Muitos furtos em lojas, vagabundos mijando na porta da frente e os eventuais assaltos à mão armada intimidam os possíveis candidatos ao emprego. Vai entender. Ainda estamos em meados de setembro, e ela já está pensando no Natal. Não tira da cabeça flocos de neve de plástico e papais-noéis com roupas de feltro. Se não contratar alguns funcionários em setembro, vai passar o maior perrengue no Natal.

Peço o meu jantar às 15:30 e como no sofá branco. Não sei qual dos meus pais tinha surtado quando compraram aquela aberração. O truque para comer ali é virar o lado manchado das almofadas para cima. O sofá tem dupla personalidade: "Melinda devorando linguiça com cogumelos" e "Ninguém come na sala, não senhora". Traço o meu rango e vejo TV até ouvir o jipe do meu pai estacionar na entrada. Flip, flip, flip — viro as almofadas para mostrar as faces brancas e bonitas, daí subo a jato até o andar de cima. Quando o meu pai abre a porta, tudo está exatamente como ele quer ver, e eu já sumi do pedaço.

O meu quarto pertence a uma ET. É o retrato de como eu era na quinta série do fundamental. Passei por uma fase debiloide, quando pensava que devia ter rosas em tudo quanto é lugar e achava cor-de-rosa lindo de morrer. Tudo culpa da Rachel. Ela implorou que a mãe a deixasse redecorar o quarto, aí todas nós também fizemos o mesmo. A Nicole se recusou a colocar o babado ridículo em torno da mesinha de cabeceira e a Ivy exagerou, como sempre. A Jessica fez o dela com o tema de velho oeste e caubóis. O meu quarto ficou numa espécie de meio termo, com um pouquinho chupado de cada uma. As únicas coisas realmente minhas eram uma coleção de coelhinhos de pelúcia, que eu tinha desde pequena, e a minha cama com dossel. Apesar de a Nicole ter zoado muito com a minha cara, não me livrei da cama. Penso em trocar o papel de parede de rosas, mas aí minha mãe ia se meter, meu pai acabaria medindo as paredes e os dois começariam a brigar por causa da cor da tinta. E, seja como for, nem sei mesmo como eu gostaria que ficasse.

Dever de casa nem pensar. A minha cama está me mandando fortes vibrações de soneca. Não consigo evitar. Os travesseiros fofos e o edredom quentinho são mais fortes que eu. Não tenho escolha, a não ser me meter debaixo das cobertas.

Escuto o meu pai ligar a TV. Clique, clique, clique — ele joga cubos de gelo no copo de fundo grosso e serve uma birita. Abre o micro-ondas — para a pizza, acho —, fecha a porta com força e faz o bip-bip ressoar ao colocar os minutos. Ligo o rádio para que ele saiba que estou em casa. Não vou tirar uma soneca de verdade. Conheço uma parada no meio da estrada do sono, como um posto de gasolina onde posso descansar o corpo por algumas horas. Nem preciso fechar os olhos, só ficar numa boa, debaixo das cobertas, e respirar.

O meu pai aumenta o volume da TV. O cara do noticiário vocifera: "Cinco mortos em incêndio residencial! Jovem é atacada! Adolescentes são suspeitos de assalto a posto de gasolina!" Mordo uma pele no lábio inferior. Meu pai fica mudando de canal, vendo as mesmas histórias de sempre, o tempo todo.

Eu me olho no espelho do outro lado do quarto. Eca. O meu cabelo está escondido debaixo do edredom. Observo o formato dos meus traços. Será que eu poderia colocar um rosto na minha árvore, como uma dríade da mitologia grega? Dois olhos como poças de lama sob sobrancelhas parecendo travessões pretos, narinas de porquinho e uma boca horrorosa, toda mordiscada. De forma alguma o rosto de uma dríade. Não consigo parar de morder os lábios. Até parece que a minha boca pertence a outra pessoa, a alguém que nem conheço.

Saio da cama e tiro o espelho do lugar. Coloco no fundo do closet, virado para a parede.

NOSSO INTRÉPIDO LÍDER

Estou escondida no banheiro, esperando que a área seja liberada. Dou uma espiada pela porta. O Diretor Diretor vê outro estudante errante perambular pelo corredor.

Diretor Diretor: — Onde está a sua autorização de atraso, meu jovem?

Estudante Errante: — Estou indo pegar uma agora.

DD: — Mas você não pode circular sem ela.

EE: — Eu sei, estou tão chateado. Por isso a minha pressa para ir logo pegar uma.

O Diretor Diretor faz uma pausa, com uma expressão no rosto parecida com a do Patolino quando percebe que acabou de ser trollado pelo Pernalonga.

DD: — Bom, então vá lá pegar logo a autorização.

O Estudante Errante sai correndo pelo corredor, acenando e sorrindo. O Diretor Diretor caminha na direção oposta, recapitulando a conversa, tentando descobrir o que tinha dado errado. Quando me lembro dessa história, dou risada.

ED. FÍCIL

Fazer ginástica devia ser considerado ilegal. É humilhante.

O meu armário no vestiário do ginásio é o que fica mais perto da porta, o que significa que tenho que trocar de roupa na cabine do banheiro. O da Heather de Ohio fica do lado do meu. Ela usa uma roupa de malhar por baixo da normal. Depois da ginástica, tira os shorts, mas sempre fica de camiseta. Fico preocupada com as garotas de Ohio. Será que todas usam camiseta por baixo?

A única outra garota que eu conheço na aula de educação física é a Nicole. Na nossa tribo anterior, a gente nunca foi muito chegada. Ela quase disse qualquer coisa para mim no início das aulas, mas, em vez disso, olhou para baixo e amarrou de novo o Nike. O armário dela é duplo e comprido, e fica num cantinho discreto e cheiroso, porque ela faz parte do time de futebol. Não tem a menor vergonha de trocar de roupa na frente dos outros. Chega até a trocar de sutiã, usando esportivos tanto para a aula comum quanto para a de ginástica. Nunca fica sem jeito nem se vira para se esconder, simplesmente troca de roupa. Deve ser coisa de atleta. Quando você é malhada daquele jeito, não dá a mínima se as pessoas fizerem comentários sobre os seus peitos ou o seu traseiro.

Estamos no final de setembro, quando começa a nossa turma de hóquei na grama. A gente pratica esse esporte na lama somente nos dias chuvosos e nublados, quando parece até que vai nevar. Quem foi que inventou isso, hein? A Nicole é imbatível nesse jogo. Ela arranca tão rápido quando ataca, que forma um rastro de lama e encharca todo mundo que fica no caminho dela. Faz um simples trejeito com o pulso, e marca um gol. Então dá um sorriso e volta para o meio de campo.

Ela manda bem em qualquer coisa que envolva uma bola e um apito. Basquete, softball, lacrosse, futebol americano, futebol, rúgbi. Qualquer coisa. E faz com que pareça fácil. Os garotos ficam vendo a Nicole jogar para melhorar seu próprio desempenho. É claro que o fato de ela ser gatinha não lhe faz mal algum. Ela perdeu um pedacinho do dente no verão passado, numa espécie de acampamento de atletas. Ficou ainda mais charmosa.

A Nicole ocupa um lugar especial no coração dos professores de educação física. Ela tem potencial. Eles olham para ela e veem futuros campeonatos estaduais. Aumentos de salário. Teve uma vez que ela fez 35 gols, até o meu time ameaçar sair de campo. Daí o professor a colocou de árbitra na partida. Não só o meu time perdeu, como também quatro garotas foram parar na enfermaria, machucadas. A Nicole não acredita no conceito de falta. Faz parte da linha esportiva que "compete até a morte ou a mutilação".

Não fosse pela atitude dela, seria mais fácil lidar com tudo isso. Com a porcaria de armário que eu tenho, com a Heather zanzando ao meu redor feito uma mariposa, com as manhãs geladas na lama, ouvindo a Princesa Guerreira Nicole ser elogiada o tempo todo pelos treinadores — eu podia aceitar tudo e seguir em frente. Mas até que a Nicole é bastante simpática. Inclusive fala com a Heather de Ohio. Chegou a indicar onde ela poderia comprar um protetor bucal para que o aparelho não cortasse os lábios dela se fosse atingida por uma bolada. Agora a Heather está a fim de comprar um sutiã esportivo. A Nicole não é uma vadiazinha, não mesmo. Seria muito mais fácil odiá-la se fosse.

AMIGAS

A Rachel está no banheiro comigo. Minto: a *Rachelle* está no banheiro comigo. Mudou o nome. A Rachelle está a fim de resgatar sua herança europeia, e por isso tem andado com os alunos de intercâmbio. Depois de cinco semanas de aula, já xinga em francês. Usa meia-calça preta desfiada e não depila as axilas. Quando levanta o braço para acenar, você não consegue deixar de pensar em filhotes de chimpanzé.

Não consigo acreditar que ela era a minha melhor amiga.

Estou no banheiro, tentando recolocar a lente de contato do olho direito. Ela espalha rímel debaixo dos olhos, para dar a impressão de estar acabada e exausta. Eu penso em me mandar rápido dali, para que ela não venha jogar aquele péssimo-olhado em cima de mim de novo, mas a Dona Juba, a minha professora de inglês, está lá fora vigiando o corredor, e eu me esqueci de ir para a aula dela.

Eu: — Oi.

Rachelle: — Mmm.

E agora? Fique fria garota — fique na sua —, como se nada tivesse acontecido. Pense em gelo. Pense em neve.

Eu: — E aí? Tudo bom? — Tento colocar a lente, e meto o dedo no olho. Super numa boa.

Rachelle: — Hum-hum. — Ela passa o rímel e esfrega os olhos, espalhando o produto no rosto.

Eu não quero ficar na minha. Tenho vontade de agarrá-la pelo pescoço, sacudi-la e gritar com ela, para que pare de me tratar mal. Ela nem se deu ao trabalho de descobrir a verdade — que tipo de amiga era? A lente dobra no meio sob a minha pálpebra. O meu olho direito lacrimeja.

Eu: — Au.

Rachelle: [Dá uma risadinha irônica. Aí se afasta do espelho, vira a cabeça de um lado para o outro para admirar a mancha preta que mais parece cocô de ganso nas suas bochechas.] — *Pas mal.*

Então, coloca um cigarro de chocolate nos lábios. Está super a fim de fumar, mas tem asma. Então deu início a uma nova Parada, que ninguém nunca viu no primeiro ano. Cigarros de chocolate. Os alunos de intercâmbio amam. Daqui a pouco ela vai começar a tomar café e a ler livros sem ilustrações.

Uma aluna de intercâmbio dá descarga e sai do reservado. Parece uma top model com um nome tipo Greta ou Ingrid. Será que os Estados Unidos são o único país com adolescentes baixinhas e gorduchas? A menina diz algo num idioma estrangeiro, e a Rachelle ri. Ah, tá legal, até parece que ela entendeu.

Eu:

Rachelle sopra um anel de fumaça do cigarro de chocolate no meu rosto. E me ignora. Acabo de ser dispensada que nem uma tortinha de maçã quente no chão frio da cozinha. Rachelle e Greta-Ingrid saem dali juntas, se achando. E sem nenhum papel higiênico grudado nas botas. Isso é justo, por acaso?

Preciso de uma nova amiga. De uma amiga, e ponto final. Não de uma amiga do peito, não de uma íntima, que compartilhe roupas e durma lá em casa, ti-ti-ti e há-há-há. Mas de uma pseudoamiga, de uma descartável. Um simples acessório. Só para que eu não pareça e me sinta tão idiota.

A anotação no meu diário nesse dia: "As estudantes de intercâmbio estão acabando com o nosso país."

HEATHERIANDO

Voltando para casa no ônibus da Heather, ela fica me atazanando para que a gente passe a praticar alguma atividade extracurricular. Tem um plano. Quer que pratiquemos cinco delas, uma para cada dia da semana. A parte complicada é escolher as que têm as Pessoas Maneiras. Latim está fora de questão, boliche também. Até que a Heather gosta de jogar boliche — esporte superpopular na outra escola dela —, mas aí ela viu o estado em que se encontram as nossas pistas e sacou que nenhuma Pessoa Maneira poria os pés ali.

Quando a gente chega à casa dela, a mãe vem falar conosco logo na porta. Quer saber tudo sobre o nosso dia e há quanto tempo moro na cidade; daí faz umas perguntinhas indiretas sobre os meus pais, para descobrir se eu sou o tipo de amiga que ela quer para a filha. Nem ligo. Acho legal ela se importar.

A gente não pode ir para o quarto da Heather porque os decoradores ainda não terminaram. Munidas de uma tigela de pipoca condimentada e refrigerante diet, a gente vai até o porão.

Os decoradores tinham terminado aquela parte primeiro. Não dá nem para dizer que é um porão. O tapete que colocaram é bem mais legal que o da nossa sala. Tem uma TV enorme num canto, mesa de sinuca e aparelhos de ginástica. Nem cheira a porão.

Heather sobe na esteira e continua a bolar suas estratégias. Ainda não terminou a pesquisa sobre o ambiente social do Merryweather, mas acha que o Clube Internacional e o Coral Seleto já seriam um bom começo. De repente a gente pode participar do teste para fazer parte do elenco do musical. Ligo a televisão e como a pipoca.

Heather: — O que é que a gente devia fazer? Você está a fim de fazer que tipo de atividade? De repente a gente podia ser monitora do ensino fundamental. — Ela aumenta a velocidade da esteira. — E as suas amigas do ano passado? Você não conhece a Nicole? Não é ela que pratica aquele monte de esportes? Eu nunca faria isso. Caio com a maior facilidade. O que é que você quer fazer?

Eu: — Nada. Só tem coisas idiotas. Quer pipoca?

Ela aumenta mais a velocidade e começa a correr. A esteira é tão barulhenta, que mal consigo ouvir a TV. A Heather faz que não com o indicador. Ficar de fora é um erro comum, que a maioria dos alunos do primeiro ano comete, insiste ela. Não é legal se sentir intimidada. Tenho que me envolver e fazer parte da escola. É o que todos os alunos populares fazem. Ela diminui o ritmo da esteira e enxuga a testa com uma toalha grossa, pendurada do lado do aparelho. Depois de alguns minutos desaquecendo, ela sai. — Cem calorias! — alardeia. — Quer tentar?

Sinto um calafrio e ofereço a tigela de pipoca para ela. A garota se inclina, passando por cima de mim, e pega uma caneta com um pompom roxo do Merryweather na mesinha. — A gente tem que fazer planos — prossegue, com a maior seriedade. Em seguida desenha quatro quadrados, um para cada uma das quatro avaliações e, então, escreve "METAS" dentro de todas. — Não vamos chegar a lugar algum sem ter noção das nossas metas. Todo mundo sempre diz isso, e é a mais pura verdade. — Ela abre o refrigerante. — Quais são as suas metas, Mel?

Eu era como a Heather, antes. Será que mudei tanto assim nos últimos dois meses? Ela está feliz, animada e em boa forma. Tem uma mãe legal e uma TV irada. Mas parece um cachorrinho que fica pulando nas nossas pernas pedindo colo. Sempre caminha comigo pelos corredores tagarelando sem parar.

A minha meta é ir para casa e tirar uma soneca.

TOCA

Ontem a Dona Juba me arrancou da sala de estudo dirigido e me obrigou a compensar, perto dela, o dever de casa que "faltava". (Ela deixou escapar uns suspiros de preocupação e mencionou uma reunião com os meus pais. A barra pesou.) Ninguém tinha se dado ao trabalho de me informar que hoje a sala de estudo dirigido seria a biblioteca. Quando finalmente encontrei o lugar, o horário já havia quase terminado. Estou ferrada. Tento explicar para a bibliotecária, mas fico gaguejando e não sai nada direito.

Bibliotecária: — Calma, calma. Está tudo bem. Não precisa ficar assim tão nervosa. Você é a Melinda Sordino, não é? Não se preocupe. Vou lhe dar presença. Mas, veja bem, quando você achar que vai se atrasar, basta solicitar uma autorização de atraso. Está vendo? Não precisa chorar.

Ela ergue um bloquinho verde: SORTE! Minhas cartas saída-livre-da-prisão. Sorrio e tento soltar um "obrigada", mas não consigo dizer uma palavra. A bibliotecária pensa que estou emocionada porque ela não me deu falta. Quase acerta. Como não dá mais tempo de tirar um cochilo, pego emprestada uma pilha de livros para deixar a bibliotecária contentinha. Talvez eu até leia um.

A minha brilhante ideia não ocorre nesse momento. Ela me vem à mente quando percebo que o Mister Pescoço me aguarda no refeitório, para exigir o meu dever de casa "Os vinte métodos que permitiram que os índios iroqueses sobrevivessem na floresta". Finjo não vê-lo. Passo pela fila do almoço, contorno um casal se beijando perto da porta e caminho pelo corredor. O Mister Pescoço para a fim de interromper o amasso em público. Eu vou até a ala dos alunos do último ano do ensino médio.

Estou em território alienígena, onde Nenhuma Caloura do Primeiro Se Meteu Antes. Não tenho tempo de dar bola para a forma como me olham. Ainda consigo ouvir o Mister Pescoço. Dobro uma esquina, abro uma porta e penetro na escuridão. Travo, sem necessidade, a maçaneta com a mão. Ufa, ele não me viu entrar. Escuto suas passadas fortes seguindo adiante no corredor. Tateio às cegas a parede ao lado da porta, procurando o interruptor. Eu não me meti numa sala de aula, mas num cubículo desativado de faxineiro, que cheira a esponja azeda.

Na parede dos fundos, vejo umas estantes embutidas com livros empoeirados e umas garrafas de água sanitária. Há uma poltrona manchada e uma mesa antiga detrás de uma série de vassouras e esfregões. Tem também um espelho rachado, inclinado sobre uma pia cheia de baratas mortas, enredadas em teias de aranha. As torneiras são tão velhas que não giram. Faz séculos que nenhum faxineiro dá uma dormidinha aqui neste cubículo. A galera da limpeza ganhou uma sala nova e uma dispensa na área de carga. As garotas evitam passar por ali por causa do jeito como eles lançam olhares de rapina e assobiam baixinho quando elas passam. Este cubículo está abandonado — não tem finalidade, nem nome. É o lugar perfeito para mim.

Roubo um bloquinho de autorizações de atraso da mesa da Dona Juba. Estou me sentindo beeeeem melhor.

DIABOS DETONAM

Não só o encontro de incentivo ao time para o primeiro jogo no colégio vai me livrar da aula de álgebra, como também vai ser uma ótima ocasião para eu conseguir arrumar o meu cubículo. Cheguei até a trazer umas esponjas de casa. Não dá para ficar de bobeira no meio daquela imundície. Depois também quero levar, disfarçadamente, um edredom e um pot-pourri.

Meu plano era caminhar até o auditório junto com toda a galera, daí me esconder num banheiro até a barra ficar limpa. Eu teria conseguido despistar os professores na boa, se não tivesse me esquecido da Heather. Assim que o Banheiro da Fuga aparece, ela me chama, vem até mim e agarra o meu braço. Está cheiona do Orgulho do Merryweather, toda empolgada, toda sorridente e toda de roxo. E acha que eu estou tão feliz e animada quanto ela. A gente caminha juntas para a lavagem cerebral, e ela não fecha a matraca.

Heather: — Nossa, que irado: reunir o pessoal para incentivar o time! Eu fiz até uns pompons extras. Toma, pega um. A gente vai bombar durante a *ola*. Quer apostar que a turma do primeiro ano é a mais empolgada? Eu sempre quis participar desse tipo de encontro. Faz ideia da *vibe* que deve dar fazer parte do time de futebol americano e contar com o apoio do colégio inteirinho? É demais! Você acha que eles vão ganhar hoje? Vão sim, eu sei que vão. A temporada não tem sido fácil, mas a gente vai conseguir dar o maior incentivo, né, Mel?

O entusiasmo dela me irrita, mas ela nem se tocaria se eu debochasse. Não vou morrer se for para o encontro. Tenho alguém com quem me sentar — isso conta como um passo à frente na escada da aceitação social. Esse encontro não deve ser tão ruim assim, ou deve?

Quero ficar parada perto da porta, mas a Heather me leva até a área da galera do primeiro ano, onde ficam os alunos que se sentam na arquibancada. — Conheço esses caras — informa ela. — Eles trabalham comigo no jornal.

Jornal? A gente tem um jornal?

Ela me apresenta a um bando de branquelos e espinhentos. Tenho a vaga sensação de conhecer alguns; o resto deve ter estudado no outro colégio de ensino fundamental. Curvo os cantos da boca, sem morder os lábios. Um pequeno passo. Heather, com um sorriso mais que escancarado, passa um pompom para mim.

Relaxo um tiquinho. Uma garota atrás de mim cutuca o meu ombro, com as unhas longas, pintadas de preto. Ouviu quando a Heather me apresentou. — Sordino? — pergunta. — Você é a Melinda Sordino?

Eu me viro. Ela sopra uma bola de chiclete preta, daí volta a sugá-la. Faço que sim com a cabeça. A Heather dá um tchauzinho para um cara do segundo ano. A garota me cutuca com mais força. — Não foi você que chamou a polícia na festa do Kyle Rodgers, no final do verão?

Um bloco de gelo congela nossa área na arquibancada. Cabeças se voltam para mim, com o som do clique de centenas de câmeras de paparazzi. Não consigo sentir os dedos. Balanço a cabeça. Outra menina se mete. — O meu irmão foi preso naquela festa. E acabou perdendo o emprego por sua causa. Não dá pra acreditar no que você fez. Sua escrota.

Você não entende, responde uma vozinha na minha mente. Pena que ela não pode ouvir. Minha garganta começa a apertar e fechar, como se duas mãos com unhas pintadas de preto estivessem agarrando a minha faringe. Eu tinha feito um megaesforço para me esquecer de cada segundo daquela maldita festa, e cá estou eu, no meio de uma galera hostil, que me odeia por causa do que tive que fazer. Não posso contar para eles o que realmente aconteceu. Não consigo nem pensar naquela festa. Um rugido animal brota do meu estômago.

A Heather faz menção de afagar o meu pompom, mas recolhe a mão. Por um instante, parece que vai me defender. Não, não,

não vai. Isso poderia comprometer o Plano dela. Fecho os olhos. Respire respire respire. Não diga nada. Só respire.

As cheerleaders entram fazendo estrelas no ginásio e gritando. A galera bate o pé no chão e berra também. Levo as mãos à boca e berro para deixar escapar o rugido animal e outras emoções daquela noite. Ninguém me ouve. Estão todos empolgadérrimos.

A banda ataca os acordes de uma música, e as cheerleaders saltitam. Todo mundo se levanta para aplaudir a mascote Diabo Azul, quando ela dá um mortal para trás, bem em cima do Diretor Diretor. Ele sorri com timidez. Só faz seis semanas que as aulas começaram. O sujeito ainda não perdeu o senso de humor.

Por fim, os Diabos em pessoa entram com estardalhaço no ginásio. Os mesmos garotos que eram suspensos no ensino fundamental por dar porrada nos mais fracos, agora são recompensados por isso. É o que chamam de futebol americano. O técnico apresenta o time. Eu nem consigo diferenciar um cara do outro. Como o Técnico Sinistro segura o microfone perto demais da boca, só conseguimos ouvir os sons da respiração e do cuspe dele.

A garota atrás de mim bate com os joelhos nas minhas costas. Golpes tão penetrantes quanto as unhas dela. Eu me sento um pouco mais para a frente e fico olhando fixamente para o time. A menina cujo irmão foi preso se inclina na minha direção. Enquanto a Heather agita o pompom, a injuriada puxa os meus cabelos. Quase subo nas costas do cara na minha frente. Ele se vira e me olha com cara de ódio.

O técnico finalmente entrega o microfone babado para o diretor, que apresenta as cheerleaders para nós. Elas abrem espacate ao mesmo tempo, enlouquecendo a multidão. Ao contrário dos jogadores, elas nunca saem no zero a zero. Na verdade, só ganham de goleada, se é que vocês me entendem.

CHEERLEADERS

São doze: Jennie, Jen, Jenna, Ashley, Aubrey, Amber, Colleen, Kaitlin, Marcie, Donner, Raven e Blitzen. Raven é a capitã. A mais loura das louras.

Os meus pais não me deram uma educação religiosa. O que a gente mais chega perto de louvar é a trindade Visa-MasterCard-American Express. Acho que as cheerleaders do Merryweather me confundem porque não participei da catequese. Só pode ser um milagre. Não há outra explicação. De que outra forma elas poderiam dormir com o time de futebol americano no sábado à noite e chegar na segunda como deusas virginais reencarnadas? É como se vivessem em realidades paralelas. No primeiro universo, são lindérrimas, com dentes perfeitos, pernas longilíneas, roupas de grife e os carros esportivos que ganham quando fazem dezesseis anos. Os professores sorriem para elas e lhes dão notas com base na média de aproveitamento do grupo. Sabem o nome de todos os funcionários. São o Orgulho dos Troianos*. Opa — quer dizer, o Orgulho dos Diabos Azuis.

---

* Aqui é também um duplo sentido, tipo: também são o orgulho do fabricante de camisinhas. (N.T.)

No segundo universo, dão festas iradas o bastante para atrair universitários. Idolatram o fedor de Eau de Suor. Alugam casas de praia em Cancún no Spring Break e fazem abortos com desconto para grupos antes da festa de formatura.

Mas são supergatas. E incentivam os nossos rapazes, incitando os caras a quebrar geral e, esperemos, a vencer. Elas são os nossos exemplos de vida — As Garotas Que Têm Tudo. Aposto como nenhuma delas gagueja, faz merda, nem sente que o cérebro está virando geleia. Todas têm uns lábios lindos, delineados de batom vermelho e muito gloss.

Quando o encontro de incentivo termina, saio rolando por três fileiras de cadeiras, depois de ser empurrada *sem querer querendo*. Se eu montar a minha própria tribo um dia, vamos ser as anticheerleaders. Não vamos sentar na arquibancada. Vamos perambular debaixo delas e promover o caos e a desordem.

O ANTÔNIMO DE INSPIRAÇÃO É EXPIRAÇÃO?

Nesta semana inteirinha, desde o encontro de incentivo, ando pintando com aquarela árvores atingidas por raios. Tento fazê-las de um jeito que pareçam quase mortas, mas não de todo. O prof. Freeman não faz qualquer comentário sobre elas. Só levanta as sobrancelhas. Uma das aquarelas está tão escura que mal dá para ver a árvore.

Todos nós estamos penando. Quando a Ivy puxou o papel do globo, seu tema foi "Palhaços". Aí ela disse para o professor que odiava esses atores cômicos, porque tinha se assustado com um quando era pequena, o que a levara até a fazer análise. O prof. Freeman respondeu que o medo era um bom lugar para a arte brotar. Outra menina reclamou, dizendo que achava "Cérebro" um tema nojento demais para ela, que preferia, tipo assim, "Gatinhos" ou "Arco-íris".

O prof. Freeman ergue os braços. — Já chega! Olhem, por favor, para as estantes. — Nós nos viramos, obedientes, e ficamos encarando o que ele mandou. Livros. Esta é a aula de artes. Por que é que a gente precisa de livros? — Se vocês estão se sentindo confusos, podem reservar um tempinho para estudar os mestres. — Ele pega um montão de obras. — Kahlo, Monet, O'Keeffe, Pollock, Picasso, Dalí. Eles não reclamaram do tema, simplesmente exploraram as profundezas de cada assunto, em busca da raiz de seu significado. Claro que não tinham um conselho escolar obrigando-os a pintar com as mãos atadas nas costas, mas contavam com patronos, que entendiam a necessidade de custear itens básicos, como papel e tinta...

A gente resmunga. Lá vem ele com aquela história do conselho escolar de novo. O pessoal do conselho cortou a verba de material dele e informou que o prof. Freeman vai ter que se virar com o que restou do ano passado. Nada de tinta nova, nada de mais papel. O professor vai ficar chiando pelo resto da aula, quarenta e três minutos. A sala está quente, ensolarada e cheirando a tinta. Três alunos caem no sono, chegando mesmo a roncar, os olhos se mexendo por trás das pálpebras.

Fico acordada. Arranco uma página do caderno, pego uma caneta e rabisco uma árvore, a minha versão da segunda série do fundamental. Sem chance. Amasso a folha, formando uma bola, e pego outra. Não pode ser tão difícil assim desenhar uma árvore num papel, pode? Duas linhas verticais formando o tronco. Talvez alguns galhos mais grossos, outros mais finos, e muitas folhas para esconder os erros. Traço uma linha horizontal como chão e coloco uma margarida brotando perto da árvore. Por algum motivo, não acho que o prof. Freeman vá encontrar emoção ali. Eu não vejo nenhuma. No início, pensei que ele fosse um professor legal. Será que vai obrigar a gente a ficar quebrando a cabeça com essa tarefa ridícula, sem nem ajudar?

ATUANDO

A gente ganha um feriado por causa do Dia do Descobrimento da América. Vou até a casa da Heather. Eu estava a fim de dormir mais, só que ela queria "muito, muito, muuuito" que eu fosse até lá. Não tem nada de bom passando na TV, de qualquer forma. A mãe dela fica empolgada quando me vê. Prepara chocolate quente para a gente levar para cima e tenta convencer a Heather a convidar um grupo grande para dormir. — Quem sabe a Mellie não podia trazer algumas das amigas dela?

Não chego a comentar que a Rachel seria capaz de esvaziar minha carótida no tapete novo dela. Sorrio como uma boa menina. A mãe da Heather afaga meu rosto. Estou cada vez melhor na arte de sorrir quando as pessoas esperam que eu faça isso.

O quarto da Heather já foi decorado e está pronto para ser exibido. Não parece o de uma garotinha da quinta série. Nem do primeiro ano. Lembra mais um comercial de aspiradores de pó, com aquela pintura novinha em folha e as marcas deixadas pelo aspirador. As paredes de tom lilás têm algumas estampas artísticas. As portas da estante da Heather são de vidro. Ela tem TV e telefone no quarto, e o dever de casa está todo arrumado na escrivaninha. O armário foi deixado entreaberto. Abro mais a porta com o pé. Todas as roupas dela aguardam pacientemente nos cabides, organizadas por tipo: as saias todas no mesmo lugar, as calças penduradas pelas bainhas, os suéteres guardados em sacos plásticos nas prateleiras. O quarto é gritantemente Heather. Por que é que eu não consigo descobrir como fazer isso? Não que eu queira que o meu quarto grite "Heather!", isso seria bizarrice total. Mas se sussurrasse um "Melinda" já seria fantástico. Sento no chão e fico dando uma olhada nos CDs dela. A Heather está pintando as unhas em cima do apoio da mesa e não para de tagarelar. Quer porque quer se inscrever no musical. É difícil pra caramba entrar na tribo dos Músicos Engajados. A Heather não tem talento nem contatos — digo que ela está perdendo tempo só de considerar a ideia. Ela acha que a gente deveria tentar juntas. Eu acho que ela anda cheirando laquê de cabelo demais. O meu trabalho é assentir ou balançar a cabeça, dizer tipo "Saquei o que você quis dizer" mesmo quando não saco, e "Isso é injusto à beça" mesmo quando não é.

Eu tiraria de letra o musical. Sou uma boa atriz. Tenho uma megavariedade de sorrisos. Uso o tímido, o olhe-através-da-franja para os funcionários e o sorriso do olhinho-franzido com um rápido meneio de cabeça se um professor me pede uma resposta. Se meus pais querem saber como foram as aulas, ergo depressa as sobrancelhas e dou de ombros. Se as pessoas apontam para mim ou cochicham quando passo, aceno para amigas imaginárias no final do corredor e aperto o passo para me encontrar com elas. Se eu largasse o ensino médio, poderia até virar mímica.

A Heather pergunta por que é que eu não acho que eles deixariam a gente entrar no musical. Tomo um gole do chocolate quente. Queimo o céu da boca.

Eu: — A gente não é ninguém.

Heather: — Como é que você pode dizer isso? Por que todo mundo tem essa atitude, hein? Não entendo isso. Ora, se a gente quer participar do musical, eles tinham mais é que deixar. A gente podia até só ficar parada no palco ou qualquer coisa assim, se não quisessem que nós duas cantássemos. Não é justo. Eu odeio o ensino médio.

Ela empurra os livros, que caem no chão, e derruba o esmalte verde, que entorna no tapete cor de areia. — Por que é tão difícil fazer amigos aqui? Tem alguma coisa na água? No meu ex-colégio, eu podia ter participado do musical *e* trabalhado no jornal *e* administrado o lava-rápido. Aqui, as pessoas nem sabem que eu existo. Sou esmagada no corredor, não pertenço a nada e ninguém me dá a mínima. E você também não ajuda. É tão para baixo, nunca tenta nada, fica só de bobeira por aí como se não se importasse com o fato das pessoas falarem de você pelas costas.

A Heather se joga na cama e começa a chorar. Uns tremendos buás, com gritinhos de frustração de vez em quando, nos momentos em que dá socos no ursinho de pelúcia. Fico sem saber o que fazer. Tento absorver o esmalte jogando lenços de papel em cima da mancha, mas acabo fazendo a mancha aumentar. Parece uma alga. A Heather limpa o nariz no cachecol xadrez do ursinho. Vou até o banheiro e volto com outra caixa de lenços de papel e um frasco de removedor de esmalte.

Heather: — Foi mal, Mellie. Eu não posso acreditar que disse essas coisas para você. É a TPM, não liga não. Você tem sido muito bacana comigo. É a única em quem posso confiar. — Ela assoa o nariz com estardalhaço e enxuga os olhos na manga da blusa. — Olha só para você. É igualzinha a minha mãe. Ela diz, "Não adianta chorar, bola pra frente". Já sei o que é que a gente vai fazer. Primeiro, vamos tentar entrar num grupo legal. Vamos fazer com que gostem da gente. E, já no ano que vem, os Músicos Engajados vão implorar para a gente fazer parte do musical.

É a ideia mais idiota que já ouvi, mas faço que sim e jogo mais removedor no tapete. Ele deixa o esmalte de um tom verde-claro de vômito e descolore o tapete ao redor. Quando a Heather vê o que eu fiz, abre o berreiro de novo, dizendo, aos prantos, que não é culpa minha. O meu estômago está me matando. Aquele quarto não é grande o bastante para tanta emoção. Vou embora sem me despedir.

TEATRO COM DIREITO A JANTAR

Os Pais estão fazendo ameaças, transformando o jantar numa peça dramática, com o papai imitando o Arnold Schwarzenegger e a mamãe dando uma de Glenn Close num dos seus papéis de psicótica. Eu sou a Vítima.

Mamãe: [Sorrisinho assustador.] — Você achou que ia passar a perna na gente, não é mesmo, Melinda? Dando uma de aluna do ensino médio, metida a independente e achando que não tem que mostrar para os pais o dever de casa nem as notas baixas nas provas?

Papai: [Dá um soco na mesa, os talheres saltam.] — Para mim, chega de embromação. Ela sabe muito bem o que está acontecendo. As notas parciais chegaram hoje. Escute aqui, mocinha. Eu só vou dizer isso uma vez. É melhor essas notas melhorarem ou você vai se dar muito mal. Ouviu bem? Pode ir tratando de melhorar! [Ele ataca uma batata assada.]

Mamãe: — [Furiosa por terem ofuscado a sua atuação.] — Eu cuido disso. Melinda. [Ela sorri. A plateia estremece.] Nós não estamos pedindo muito, querida. Só queremos que você dê o melhor de si. E sabemos muito bem que o seu melhor supera em muito essas notas. Você nunca teve dificuldades nas provas antes, querida. Olhe para mim quando falo com você.

[A Vítima mistura queijo cottage no purê de maçã. O pai resfolega feito um touro. A mãe agarra uma faca.]

Mamãe: — Eu mandei você olhar para mim.

[A Vítima coloca ervilhas no purê de maçã com queijo cottage. O pai para de comer.]

Mamãe: — Olhe para mim agora!

Aquela é a Voz Fatal, a Voz-que-não-está-para-brincadeiras. Quando eu era pequena, aquela Voz me levava a fazer xixi nas calças. Mas agora, é preciso mais. Encaro a minha mãe, então enxáguo o prato e vou para o meu quarto. Sem a Vítima, Mãe e Pai gritam um com o outro. Eu aumento o volume da música para abafar o bate-boca.

ROSAS AZUIS

Depois do interrogatório de ontem à noite, tento prestar atenção na aula de biologia. Estamos estudando células, que têm aquele monte de partezinhas que não podem ser vistas, a menos que você as observe por um microscópio. A gente usa aparelhos de verdade, não aqueles de plástico que tem nas lojas de brinquedos. Até que não é tão ruim assim.

A srta. Keen é a nossa professora. Fico meio triste por ela. Podia ter sido uma cientista famosa, médica ou algo assim. Em vez disso, está ali, encalhada com a gente. Tem várias caixas de madeira na frente da sala, para subir quando fala com os alunos. Se ela comesse menos sonhos com doce de leite, lembraria uma bonequinha com cara de vovó. Mas tem um físico gelatinoso, geralmente envolvido em poliéster laranja. A srta. Keen fica longe dos jogadores de basquete. Sob a perspectiva desses caras, ela deve parecer uma bola de basquete.

Tenho um parceiro no laboratório chamado David Petrakis. Ele faz parte da tribo dos Cibergênios. Pode ser que fique bonitinho quando tirar o aparelho dos dentes. É tão inteligente que deixa os professores nervosos. Seria de supor que um garoto desses apanharia muito, mas os pitboys não mexem com ele. Tenho que descobrir o segredo do cara. O David me ignora na maior parte do tempo; só não fez isso quando quase quebrei o microscópio de 300 dólares, ao girar o botão para o lado errado. Foi no dia em que a srta. Keen usou um vestido roxo com umas rosas azuis berrantes. Um verdadeiro espanto. Não deviam deixar os professores mudarem de roupa desse jeito, sem algum tipo de Sistema de Prevenção de Acidentes. Descompensa os alunos, cara! Todo mundo só falou no tal vestido durante dias. E ela nunca mais botou o dito-cujo.

ALUNA ÷ POR DÚVIDAS
É = A ÁLGEBRA

Eu me sento na carteira quando faltam dez minutos para a aula de álgebra acabar. O sr. Stetman passa um tempão olhando para a minha autorização de atraso. Pego uma folha de papel em branco para copiar os problemas no quadro-negro. Eu me sento na última fileira, de onde posso ficar de olho em todo mundo e também em tudo o que acontece no estacionamento. Eu me vejo como o Sistema de Alerta de Emergência da turma. Planejo manobras de evacuação em caso de desastre. Como é que a gente se mandaria dali se o laboratório de química explodisse? E se um terremoto atingisse a parte central do estado de Nova York? Ou um tornado?

É impossível continuar a prestar atenção em álgebra. Não que eu seja ruim em matemática. No ano passado, fui uma das melhores da turma — foi assim que consegui que o meu pai me desse uma bicicleta nova. Matemática é fácil porque não dá margem para discussão. Ou a resposta está certa ou está errada. Pode me dar uma folha cheinha de problemas que eu vou acertar 98%.

Mas não consigo me concentrar em álgebra. Eu entendia a importância de decorar a tabuada. Compreender frações e decimais, porcentagens e até geometria — tudo isso era necessário. Ferra-mentes úteis. Tudo fazia tanto sentido que eu nunca nem pensava no assunto. Fazia o dever de casa. Entrava para o quadro de honra da turma.

Mas álgebra? Todo santo dia alguém pergunta para o sr. Stetman por que é que a gente tem que aprender isso. Dá para notar que ele fica supertriste. O sujeito adora álgebra. É até poético em relação a ela, quando discorre sobre números inteiros. Fala dela como certos caras falam dos próprios carrões. Pergunte ao professor por que álgebra, e ele conta mil e uma histórias sobre a matéria. Todas sem o menor sentido.

O sr. Stetman quer saber se alguém pode explicar o papel da rebimboca no teorema da parafuseta negativa. A Heather sabe a resposta. Está redondamente enganada. O professor tenta de novo. Eu? Balanço a cabeça com um sorrisinho triste. Não desta vez, tente de novo daqui a vinte anos. Ele me diz para ir até o quadro-negro.

Professor: — Quem quer ajudar a Melinda a entender como podemos resolver este problema? Rachel? Ótimo.

A minha cabeça explode com o barulho das sirenes de carros de bombeiros saindo do quartel. Desastroso. A Rachel/Rachelle vem até o quadro-negro sapateando com os seus tamancos e o seu maldito traje holandês-escandinavo. Seu look fica entre o fofinho e o sofisticadinho. Seu olhar de raio laser vermelho faz minha testa queimar. Já eu me visto tipo morador de lixão — jeans rasgado e blusa de gola rolê cinza e fedorenta. Só nesse momento é que lembro que preciso lavar os cabelos.

A boca da Rachelle se move e sua mão desliza pelo quadro-negro, traçando umas figuras e uns números esquisitos. Mordo todo o meu lábio inferior, mantendo-o entre os dentes. Se me esforçar o bastante, talvez possa me devorar inteira. O sr. Stetman fala algo sacal, e a Rachelle pestaneja. Ela dá uma cotovelada em mim. Temos que nos sentar. A turma dá risadinhas quando voltamos para as nossas carteiras. Eu não me esforcei o bastante para me engolir viva.

O meu cérebro não acha que deveríamos perder tempo com álgebra. Temos coisas melhores em que pensar. É uma pena. O sr. Stetman até que parece ser um cara legal.

HALLOWEEN

Os meus pais declaram que eu já estou velha demais para ir pedir balas e doces. Beleza. Assim não tenho que admitir que ninguém me convidou para fazer isso. Mas não estou a ponto de confessar isso para eles. Para manter as aparências, saio marchando até o meu quarto e bato a porta com força.

Olho pela janela. Um grupo de criaturinhas se aproxima pela calçada. Um pirata, um dinossauro, duas fadas e uma noiva. Por que é que a gente nunca vê um garoto vestido de noivo no Halloween? Os pais da turminha conversam na esquina. A noite é perigosa, requer a presença deles ali — fantasmas altos de calça cáqui e casacos acolchoados espreitam as crianças.

A campainha toca. Meus pais discutem para ver quem vai atender. Então minha mãe barulha e abre a porta com um estridente "Aaaaaah, o que temos aqui?". Ela só deve ter dado um minitablete de chocolate para cada um, pois os agradecimentos não foram nem um pouco efusivos. O grupinho cruza o nosso gramado até a cada vizinha, seguido pelos pais, na rua.

No ano passado, a minha galera se vestiu de bruxa. A gente foi até a casa da Ivy, porque ela e a irmã mais velha tinham maquiagem teatral. Nós pegamos emprestadas roupas umas das outras e colocamos perucas baratas de cabelos pretos. O meu look e o da Rachel foram os melhores. A gente usou a grana que ganhou trabalhando de babá para alugar capas de cetim preto, forradas de vermelho. Mandamos bem. Foi uma noite atípica, para lá de quente, sinistra. Não precisamos nem usar roupas extras de frio, com aquele céu límpido. O vento acabou aumentando, encobrindo com nuvens a lua cheia, que estava ali para nos fazer sentir fortes e poderosas. Ficamos perambulando a noite toda, um grupo de bruxas intocáveis. Cheguei até a achar, por uns instantes, que podíamos lançar feitiços, transformar gente em sapos ou coelhos, para punir os maus e recompensar os bons. A gente ganhou uma tonelada de doces. Depois que os pais da Ivy foram dormir, acendemos uma vela na casa totalmente escura. Daí a seguramos na frente do espelho antigo à meia-noite, para ver os nossos futuros. Eu não vi nada.

Este ano a Rachelle está indo para a festa de uma das famílias anfitriãs dos alunos de intercâmbio. Ouvi quando ela falou sobre isso na aula de álgebra. Eu sabia que não ia ser convidada. Teria sorte se fosse convidada para o meu próprio velório, com a minha fama. A Heather está acompanhando algumas das crianças do bairro dela, para que as mães possam ficar em casa.

Estou preparada. Eu me recuso a passar a noite me lamentando, no meu quarto, ou ouvindo os meus pais discutirem. Peguei emprestado um livro na biblioteca, *Drácula*, de Bram Stoker. Nome maneiro. Eu me acomodo no meu canto com um saquinho de balas e o monstro sugador de sangue.

NOME NOME NOME

Num frenesi pós-Halloween, o conselho escolar resolveu não nos chamar mais de Diabos. Agora somos os Tigres do Merryweather. Grrrrrrr.

A Tribo Ecológica está planejando uma passeata para protestar contra essa "degradação de uma espécie ameaçada". Não se fala em outra coisa no colégio. Ainda mais durante a aula. O Mister Pescoço tem um ataque histérico, e discorre aos berros sobre Motivação, Identidade e o sagrado Espírito Escolar. Desse jeito, a gente não vai chegar nem à Revolução Industrial.

A galera me sacaneou na aula de espanhol. "Linda" significa "superbonita" nessa língua. O que acabou virando uma tremenda piada. A sra. Professora de Espanhol diz o meu nome. Algum engraçadinho solta: "*No, Melinda no es linda.*" Aí ficam me chamando de Me-no-linda* a aula inteira. É assim que os terroristas começam, com esse tipo de brincadeira inofensiva. Eu me pergunto se não é tarde demais para pedir transferência para o alemão.

Acabei de pensar numa ótima teoria, que explica tudo. Quando fui para aquela festa, acabei sendo raptada por alienígenas. Eles criaram uma Terra falsa e um ensino médio falso, para me analisar e estudar as minhas reações. Isso com certeza explica a comida do refeitório. Mas não as outras coisas. Os ETs têm um senso de humor asqueroso.

---

* O "me", no caso, exercendo, em inglês, o papel de pronome: "Eu-não-linda". (N.T.)

AS MARTHAS

A Heather encontrou uma tribo: as Marthas. É uma participante caloura, ainda em fase de experiência. Não faço a menor ideia de como ela conseguiu. Tenho a ligeira impressão de que ela molhou a mão de alguém lá dentro. Isso faz parte da estratégia dela para conquistar um lugar ao sol no colégio. Eu deveria estar junto. Mas... as Marthas!

Sai caro participar dessa tribo. As roupas têm que combinar e ser fashion, além de acompanhar a moda da estação. Elas gostam de usar xadrez no outono, com casacos combinando, em cores com nomes derivados de frutas, tipo damasco e maçã-verde. O inverno pede suéteres típicos da ilha de Fair, na Escócia, calças de lã forradas e presilhas no estilo natalino nos cabelos. Só que as Marthas ainda não informaram para a Heather o que comprar na primavera. Já posso até imaginar: saias estampadas com gansos e blusas brancas com patos bordados na gola.

Digo para a Heather que ela deveria ousar um pouquinho mais na moda e se tornar um reflexo dos anos 50, entende, tipo inocência e torta de maçã. Ela não acha que as Líderes Tribais, Meg "mais" Emily "mais" Siobhan sacam de ironia. Gostam demais de regras.

As Marthas amam ajudar. O nome do grupo veio de alguém na Bíblia (a primeira Martha Líder Tribal virou missionária em Los Angeles). Mas, agora, elas seguem a Outra, a Santa Martha da Pistola de Cola, a mulher que escreve livros sobre decorações festivas no estilo "faça você mesma".* Bem emergente, bem

---

* Martha Stewart, famosa apresentadora de TV e empresária norte-americana. Comanda, há anos, um programa parecido com o *Mais Você*, de Ana Maria Braga. (N.T.)

novo-rico. As Marthas realizam projetos e fazem boas ações. É o trabalho ideal para a Heather. Ela diz que elas se encarregam da arrecadação de enlatados, ensinam crianças nos bairros pobres da cidade, organizam caminhatonas, dançatonas e cadeira de balançatonas a fim de arrecadar dinheiro para sei lá o quê. Elas também Fazem Coisas Legais para os professores. Isso me dá ânsia de vômito.

O primeiro Projeto Martha da Heather é decorar a sala dos professores para uma festa do Dia de Ação de Graças/reunião dos professores. Ela me puxa para um canto depois do espanhol e implora que eu a ajude. Acha que as Marthas lhe deram um trabalho impossível de propósito, para se livrarem dela. Sempre me perguntei como era a sala dos professores. Rolam muitos boatos. Será que tem alguma coisa assim, tipo, esteiras para os professores que querem tirar uma soneca? Pacotes econômicos de lenços de papel para as crises emocionais? Poltronas de couro confortáveis e um mordomo particular? E os arquivos secretos que eles mantêm de todos os alunos?

A verdade é que o lugar não passa de uma salinha com paredes verdes e janelas sujas, impregnada de cheiro de cigarro, embora há anos seja ilegal fumar nas dependências do colégio. Tem umas cadeiras de metal desmontáveis em torno de uma mesa velha. Numa parede há um quadro de avisos que não vê apagador desde que o homem pisou na Lua. E eu procuro, mas não encontro, arquivos secretos. Eles devem ficar na sala do diretor.

Tenho que fazer um centro de mesa natalino com folhas de bordo vermelhas enceradas, nozes, laços e um quilômetro de arame fino. A Heather vai pôr a mesa e pendurar a faixa. Enquanto ela fica matraqueando sem parar sobre as aulas, eu estrago uma folha após outra. Pergunto se a gente pode trocar, antes que eu cause um estrago irreversível em mim mesma. Ela me faz o favor de desenrolar o arame e me libertar. Pega um monte de folhas com uma das mãos, enrola o arame no caule — um, dois —, esconde o arame com o laço e usa a cola quente para colocar as nozes no lugar. É assustador! Tento depressa terminar de arrumar a mesa.

Heather: — O que é que você acha?

Eu: — Que você é fera em decoração festiva.

Heather: — [Revirando os olhos.] Boba. O que é que você acha disso! Euzinha! Dá para acreditar que elas estão me deixando fazer parte da tribo? A Meg tem sido um amor comigo, liga para mim todas as noites só para bater-papo. — Ela caminha em torno da mesa e endireita milimetricamente os garfos que acabei de colocar. — Você vai achar que é ridículo, mas eu estava tão mal no mês passado, que pedi que os meus pais me mandassem para um internato. Só que agora eu tenho amigas, já sei abrir o meu armário aqui da escola e [ela faz uma pausa e semicerra os olhos] está tudo perfeito!

Não preciso nem fazer o tremendo esforço de comentar algo, porque Meg "mais" Emily "mais" Siobhan entram, com bandejas de minimuffins e fatias de maçã cobertas de calda de chocolate. Meg arqueia a sobrancelha quando me vê.

Eu: — Obrigada pelo dever de casa, Heather. Você me ajudou pra caramba. — Saio rápido, deixando a porta entreaberta para ficar de olho no que vai acontecer. Ela fica em posição de sentido, enquanto as outras inspecionam o nosso trabalho. A Meg ergue o centro de mesa e o examina de todos os ângulos possíveis e imagináveis.

Meg: — Bom trabalho.

Heather enrubesce.

Emily: — Quem era aquela garota?

Heather: — Uma amiga. Foi a primeira a me fazer sentir em casa, aqui.

Siobhan: — Ela é meio sinistra. O que tem de errado com os lábios dela? Parece até que tem alguma doença ou sei lá o quê.

Emily mostra o relógio (a pulseira combina com o arco dos cabelos). Cinco minutos. Heather tem que se mandar antes que os professores cheguem. Fazia parte da fase de experiência não receber crédito pelo trabalho.

Eu me escondo no banheiro até ter certeza de que o ônibus da Heather já foi embora. Gosto da sensação do sal das minhas lágrimas ardendo nos meus lábios. Lavo o rosto na pia até não restar mais nada dele, nem olhos, nem nariz, nem boca. Um nada todo liso.

PESADELO

Eu vejo O TROÇO no corredor. O TROÇO é do Merryweather. Está caminhando com a cheerleader Aubrey. O TROÇO é o meu pesadelo, e eu não consigo acordar. O TROÇO me vê. Sorri e pisca. Ainda bem que os meus lábios estão totalmente costurados, senão eu vomitaria.

MEU BOLETIM

Participação	B	Estudos Sociais	C	Espanhol	C
Almoço	D	Biologia	B	Álgebra	C+
Traje	C	Inglês	C	Ed. Física	C+
Artes A					

VAI _____ (PREENCHA O ESPAÇO)!

A Tribo Ecológica ganhou o segundo round. Já não somos mais os Tigres porque o nome "desrespeita terrivelmente" uma espécie ameaçada.

Só sei que estou chocada.

A Tribo Ecológica fez uns pôsteres maneiríssimos. Espalharam manchetes das páginas de esportes — TIGRES DERROTA-DOS! TIGRES MASSACRADOS! TIGRES ANIQUI-LADOS! — ao lado de fotos coloridas de tigres-de-bengala esfolados. Deu certo. A galera da Tribo Ecológica tem uns ótimos RPs. (O time de futebol teria até protestado, mas a triste verdade é que eles perderam todos os jogos da temporada. Ficaram felizes por já não se chamarem mais Tigres. Os outros times começaram a chamá-los de Gatinhos Manhosos. Nada másculo.) Mais da metade da escola assinou uma petição, e os abraçadores de árvore receberam cartas de apoio de um bando de grupos externos e de três atores de Hollywood.

Fomos conduzidos feito rebanho até uma reunião, que deveria ser um "foro democrático" para as propostas de uma nova mascote para o colégio. Quem somos nós? Não podemos ser os Piratas porque eles apoiaram a violência e a discriminação contra as mulheres. O garoto que sugere Sapateiros, em home-nagem à antiga fábrica de mocassins, acaba sendo ridicularizado pelo auditório inteiro. Guerreiros é considerado um insulto aos índios. Fico pensando que Patriarcas Eurocêntricos e Arrogantes seria perfeito, mas não sugiro nada.

O Conselho Estudantil organiza uma eleição antes das férias de inverno. As nossas escolhas:

a. Abelhas — úteis na agricultura, ferozes quando atacam
b. Icebergs — em homenagem ao nosso adorável clima
c. Desbravadores — com toda certeza irão amedrontar os adversários
d. Vombates — ninguém sabe se eles estão ameaçados de extinção

O CUBÍCULO

Meus pais me mandaram ficar no colégio depois do horário, todos os dias, para receber ajuda extra dos professores. Eu concordei. Aí fico lá no meu cubículo repaginado. Está ficando legal.

A primeira coisa que mudei foi o espelho. Como estava parafusado na parede, eu o cobri com um pôster da Maya Angelou, que ganhei da bibliotecária. Segundo ela, essa autora é uma das melhores escritoras americanas. O pôster teve que ser tirado da biblioteca porque o conselho escolar proibiu um dos livros da mulher. Deve ser mesmo uma ótima escritora para o conselho ficar com medo dela. A foto de Maya Angelou me observa enquanto varro o chão e passo pano, esfrego as estantes, expulso as aranhas dos cantos. Faço um pouquinho a cada dia. É como construir um forte. Como acho que a Maya ia gostar se eu lesse aqui, trago alguns livros de casa. Mas, na maior parte do tempo, assisto os filmes de terror que passam no interior das minhas pálpebras.

Está cada vez mais difícil falar. A minha garganta vive ferida, os meus lábios, em carne viva. Quando acordo de manhã, o maxilar está tão contraído que me dá dor de cabeça. Às vezes a minha boca relaxa perto da Heather, quando a gente está sozinha. Sempre que tento conversar com os meus pais ou um professor, balbucio ou congelo. O que tem de errado comigo? É como se eu tivesse algum tipo de laringite espasmódica.

Eu sei que os parafusos da minha cabeça estão meio soltos. Quero ir embora, pedir transferência, me mandar daqui em velocidade de dobra espacial para outra galáxia. Estou a fim de confessar tudo, de passar a culpa, o erro e a raiva para outra pessoa. Tem um monstro nas minhas entranhas, posso até ouvi-lo arranhando minhas costelas. Mesmo quando descarto a lembrança, ela continua comigo, me ferindo. O meu cubículo é um cantinho legal, um lugar tranquilo, que me ajuda a manter esses pensamentos dentro da minha mente, onde ninguém pode ouvi-los.

TODO MUNDO JUNTO

A minha professora de espanhol quebra a regra do "nada de inglês" para dizer que é melhor a gente parar de fingir que não entende o dever de casa, ou vai ficar retido na sala de aula. Daí ela repete o que acabou de dizer em espanhol, apesar de parecer que acrescentou palavras. Não sei como é que ela não sacou desde o início. Se tivesse ensinado todos os palavrões no primeiro dia, a gente teria feito tudo o que ela queria pelo resto do ano.

Ficar retida na sala de aula não é uma opção legal. Faço o dever de casa: Escolha cinco verbos e conjugue-os.
Traduzir: *traducir*. Eu traduceio.
Fracassar: *fallar*. Yo estou quase falhando.
Esconder: *encubrir*. Escapar: *huir*.
Esquecer: *olvidar*.

TESTE VOCACIONAL

Caso a gente se esqueça de que "estamosaquiparaadquirirumaboabaseafimdepoderirparaauniversidadeedesenvolvertodoonossopotencialconseguirumbomempregoviverfelizesparasempreeirparaaDisneyWorld", temos um Teste Vocacional.

Como tudo relacionado ao início dos três últimos anos do ensino mé(r)dio, ele começa com um teste, um teste das minhas vontades e dos meus sonhos. Eu prefiro (a) passar o tempo com um grupo grande de pessoas? (b) passar o tempo com um grupinho de amigos íntimos? (c) passar o tempo com a família? (d) passar o tempo sozinha?

Eu sou uma pessoa que (a) ajuda? (b) faz? (c) planeja? (d) sonha?

Se eu estivesse amarrada nos trilhos do metrô e o trem fosse passar em cima de mim, eu (a) pediria socorro aos berros?

(b) pediria aos meus amigos camundongos para roerem as cordas? (c) lembraria que o meu jeans favorito estava na secadora e ficaria eternamente amarrotado? (d) fecharia os olhos e fingiria que nada de errado estava acontecendo?

Duzentas perguntas depois, checo o resultado. Eu deveria considerar uma carreira em (a) silvicultura (b) no Corpo de Bombeiros (c) comunicação (d) ciências funerárias. Os resultados da Heather são mais claros. Ela seria enfermeira. O que a faz pular de alegria.

Heather: — Demais! Eu sei exatamente o que quero fazer. Quero trabalhar como voluntária no hospital já nesse verão. Por que você não vai comigo? Vou meter a cara em biologia, ir para Stanford e me formar em Enfermagem. Que plano, hein!

Como ela pode saber isso? Eu não tenho a menor ideia do que vou fazer nos próximos cinco minutos, e ela já sabe o que vai fazer nos dez anos seguintes. A minha preocupação se concentra em sair com vida do primeiro ano. Só depois é que vou pensar numa carreira.

PRIMEIRA EMENDA

Mister Pescoço entra bufando na sala, como um touro perseguindo trinta e três capas vermelhas. A gente se senta rápido. Fico pensando que vai explodir a qualquer momento. O que de fato acontece, porém, de um jeito imprevisível e sutilmente educativo.

IMIGRAÇÃO. Ele escreve no quadro-negro. Tenho certeza de que escreveu a palavra corretamente.

Mister Pescoço: — A minha família está neste país há mais de duzentos anos. Construímos este lugar, lutamos em todas as guerras, desde a primeira até a última, pagamos os nossos impostos, votamos.

Desenhos de balõezinhos de pensamento de história em quadrinhos se formam em cima das cabeças de todos os alunos. (*SERÁ QUE ISSO VAI CAIR NA PROVA?*)

Mister Pescoço: — Então, vocês podem me explicar por que o meu filho não consegue encontrar emprego?

Alguns erguem as mãos timidamente. O professor os ignora. É uma pergunta falsa, que ele só fez para poder dar a resposta. Eu relaxo. Situação igual àquela em que o meu pai reclama do chefe. A melhor coisa a fazer é ficar atenta, piscando os olhos de um jeito compreensivo.

O filho do professor queria ser bombeiro, mas não foi aprovado. Mister Pescoço está convencido de que é algum tipo de discriminação inversa. Diz que deveríamos fechar as fronteiras para que somente os verdadeiros americanos consigam os empregos que merecem. Segundo o meu teste vocacional, eu poderia me tornar uma ótima bombeira. Fico me perguntando se poderia tirar o emprego do filho dele.

Paro de prestar atenção nele e me concentro no meu rabisco, um pinheiro. Venho tentando entalhar uma placa de linóleo na aula de artes. O problema é que, com esse tipo de material, não dá para corrigir os erros. Todos os que eu cometer vão ficar gravados na imagem. Então, tenho que pensar bem antes.

Mister Pescoço escreve no quadro-negro de novo: "DEBATE: Os Estados Unidos deveriam ter fechado as fronteiras em 1900." Isso toca num ponto delicado. Em vários, na verdade. Dá para ver um monte de alunos contando de trás para frente com os dedos, tentando calcular quando os avós ou bisavós nasceram, em que momento teriam vindo para os Estados Unidos e se haveriam escapado da Guilhotina do Mister Pescoço. Quando eles descobrem que os antepassados teriam sido barrados num país que os odiava ou num lugar sem escolas ou numa cidade sem futuro, levantam as mãos depressa. Discordam educadamente da letrada opinião do Mister Pescoço.

Eu não faço ideia das origens da minha família. De um lugar frio, onde comem feijão toda quinta-feira e penduram a roupa no varal na segunda. Não sei há quanto tempo estamos nos Estados Unidos. A gente mora aqui neste distrito escolar desde que eu estava na primeira série do fundamental, o que deve contar para alguma coisa. Começo a desenhar uma macieira.

Os argumentos pipocam de um lado para o outro da sala. Alguns puxa-sacos percebem logo de que lado o professor está, e aí lutam para expulsar os "estrangeiros". Todo aluno cuja família imigrou no século passado tem uma história para contar sobre como os parentes deram um duro danado, contribuíram para o crescimento do país e pagaram impostos. Um membro da Tribo dos Arqueiros tenta dizer que todos nós somos estrangeiros e que então devemos devolver o país para os índios, mas recebe uma avalanche de críticas. Mister Pescoço curte a barulheira, até um aluno desafiá-lo diretamente.

Aluno Corajoso: — Talvez o seu filho não tenha conseguido esse emprego por não ser competente o bastante. Ou por ser preguiçoso. Ou por simplesmente haver concorrentes mais bem preparados, independente da cor da pele. Eu acho que os brancos que estão aqui há duzentos anos é que estão acabando com este país. Eles não sabem trabalhar, receberam tudo de mão beijada.

A galera pró-imigração começa a aplaudir e a gritar.

Mister Pescoço: — Cuidado com o que diz, rapaz. Está falando do meu filho. Não quero ouvir nem mais uma palavra sua. Já chega de discussão, peguem os livros.

O professor volta a assumir o controle. Acabou o espetáculo. Tento desenhar um galho saindo do tronco de uma árvore pela 315ª vez. O desenho sai sem graça, malfeito e tosco. Não sei como fazer para que ganhe mais vida. Estou tão concentrada que, no início, nem noto que o David Petrakis, meu Parceiro de Laboratório, se levantou. A turma para de falar. Coloco o lápis na mesa.

Mister Pescoço: — Sr. Petrakis, por favor, sente-se.

O David Petrakis nunca, jamais apronta. É o tipo de rapaz que não falta nem uma vez, que ajuda os funcionários a encontrarem vírus nos arquivos informatizados dos boletins. Mordo uma pelinha do dedo mindinho. O que é que ele está pensando? Será que perdeu o juízo, que acabou surtando sob a pressão de ser mais inteligente que todo mundo?

David: — Se a turma está debatendo, então todo aluno tem o direito de dizer o que pensa.

Mister Pescoço: — Eu decido quem fala aqui.

David: — O senhor iniciou o debate. Não pode terminá-lo só porque está indo contra o que pensa.

Mister Pescoço: — Não? Pois então observe. Sente-se agora, sr. Petrakis.

David: — Segundo a Constituição, não há tipos diferentes de cidadania com base no tempo de moradia no país. Sou cidadão, e tenho os mesmos direitos que o seu filho e o senhor. Como cidadão e estudante, protesto contra o tom de cunho racista, intolerante e xenofóbico desta posição.

Mister Pescoço: — Senta a bunda nessa cadeira, Petrakis, e cuidado com o que diz! Eu tento iniciar um debate aqui, e vocês o transformam numa questão racial. Sente-se, ou vou mandá-lo para a sala do diretor.

David encara o Mister Pescoço, olha para a bandeira por um minuto, então pega os livros e sai da sala. Diz um zilhão de coisas sem dizer uma palavra. Faço a anotação mental de estudar David Petrakis. Nunca ouvi um silêncio mais eloquente.

AGRADECENDO

No Dia de Ação de Graças, os Peregrinos demonstraram sua gratidão porque os ameríndios evitaram que eles morressem de fome. Nesse dia eu demonstro a minha gratidão porque a minha mãe finalmente vai trabalhar e o meu pai se vê obrigado a pedir uma pizza.

A minha mãe, em geral estressada e apressada, sempre se transforma numa viciada em liquidações logo depois que come a última fatia de peru na ceia. É por causa da Black Friday, que, um dia após o feriado de Ação de Graças, dá início à temporada de compras de Natal. Se a minha mãe não vender um bilhão de camisas e doze milhões de cintos nesse dia de liquidação, parece que o mundo vai acabar. Ela fica à base de cigarro e café, praguejando feito um rapper e analisando planilhas mentais. As metas que estabelece para a loja são totalmente fora da realidade, e ela sabe disso. Mas é mais forte do que ela. É como ver alguém preso numa cerca elétrica, estrebuchando e se contorcendo. Todos os anos, quando a minha mãe está estressada, prestes a explodir, ela prepara a ceia do Dia de Ação de Graças. A gente implora para que não faça isso. Suplica, manda bilhetes anônimos. Mas ela não dá a menor bola.

Vou dormir na véspera do Dia de Ação de Graças às 22:00. Ela está digitando com força no laptop, à mesa de jantar. Quando desço na manhã do feriado, minha mãe continua ali. Acho que nem dormiu.

Ela olha para mim, para o meu roupão e para os meus chinelos de coelhinho. — Ah, que droga... O peru — comenta.

Descasco as batatas enquanto ela joga água quente no peru congelado. As janelas embaçam, separando a gente do mundo exterior. Penso em sugerir que comamos outra coisa no jantar, tipo espaguete ou sanduíches, mas já sei que ela não iria gostar da minha sugestão. A minha mãe golpeia as entranhas da ave com um quebrador de gelo, para tirar o saquinho plástico com os miúdos. Fico até impressionada. No ano passado, ela pôs o peru para assar com o saquinho plástico dentro.

Preparar a ceia do Dia de Ação de Graças tem um significado especial para ela. É como uma obrigação sagrada, parte do que faz dela esposa e mãe. A minha família não conversa muito e não tem nada em comum, mas, se a minha mãe preparar uma ceia adequada nesse feriado, isso significa que então seremos uma família por mais um ano. Lógica Kodak, aparência é tudo. Só nos comerciais de TV esse tipo de coisa funciona.

Termino de descascar as batatas. Ela me manda ir ver os desfiles na televisão. O meu pai fica perambulando feito barata tonta no andar de baixo. — Como é que ela está? — pergunta, antes de ir até a cozinha. — Ação de Graças — respondo. O meu pai põe o casaco. — Quer um pão doce? — Faço que sim com a cabeça.

O telefone toca. Minha mãe atende. É da loja. Emergência nº 1. Vou pegar um refrigerante na cozinha. Ela serve suco de laranja para mim, só que não posso tomá-lo porque queima os meus lábios feridos. O peru flutua na pia, um iceberg de cinco quilos. Um peruberg. Tenho a sensação de estar no *Titanic*.

Minha mãe desliga e me expulsa dali com instruções para que tome banho e arrume o quarto. Entro na banheira. Encho os pulmões de ar e flutuo, então expiro tudo e afundo. Mergulho a cabeça para escutar as batidas do meu coração. O telefone toca outra vez. Emergência nº 2.

Quando finalmente troco de roupa, os desfiles já terminaram e meu pai está vendo futebol. Ele está com a barba por fazer, toda melada de açúcar de confeiteiro. Eu não gosto quando ele fica à toa em casa, nos feriadões. Prefiro vê-lo de barba feita e terno. O meu pai gesticula para que eu saia do caminho e ele veja a tela.

Minha mãe está falando ao telefone. Emergência nº 3. O fio longo e espiralado está todo emaranhado em torno do corpo magro dela, como uma corda amarrando-a num poste. Duas extremidades de coxa se projetam para fora de uma panela enorme de água fervendo. Ela está cozinhando o peru conge-lado. — É grande demais para o micro-ondas — explica. —Vai descongelar já, já. — Então, tapa o ouvido livre com o dedo, para se concentrar no que lhe dizem ao telefone. Pego um pão-zinho doce do saco e volto para o meu quarto.

Três revistas depois, meus pais estão discutindo. Não um mega-bate-boca. Uma discussão daquele tipo que cozinha em fogo lento, com bolhas respingando no fogão. Estou a fim de comer outro pão doce, mas não tenho a menor vontade de passar no meio da briga. Cada um vai para o seu canto quando o telefone toca outra vez. Chegou a minha oportunidade.

Embora minha mãe esteja com o fone ao ouvido quando entro na cozinha, ela não está prestando atenção no que dizem. Esfrega o vapor na janela e fica olhando para o quintal. Vou até o lado dela, perto da pia.

Meu pai caminha pelo quintal, com uma luva de forno, segurando a ave fumegante por uma das coxas. — Ele disse que a criatura levaria horas para descongelar — sussurra minha mãe. Uma vozinha baixa ressoa ao fone. — Não, você não, Ted — esclarece ela. Meu pai coloca a ave numa tábua de cortar e pega o cutelo. *Zás!* O cutelo prende na carne congelada do peru. Ele serra para a frente e para trás. *Zás!* Um pedaço congelado cai no chão. Meu pai o pega e acena para a janela. Minha mãe vira as costas para ele e diz para o Ted que está a caminho.

Depois que ela sai para a loja, meu pai assume o jantar. É uma questão de princípios. Se ele se queixar da forma como ela lidou com o Dia de Ação de Graças, vai ter que provar que pode se sair melhor. Ele traz a carne suja e despedaçada e a lava na pia com água quente e detergente. Depois enxagua o cutelo.

Papai: — Como nos velhos tempos, não é, Mellie? O cara se embrenha na floresta e traz o jantar para casa. Não é tão difícil assim. Cozinhar só exige que você seja organizado e saiba ler. Pega lá o pão para mim? Vou fazer um recheio autêntico, igual ao que a minha mãe fazia. Você não precisa ajudar. Por que não dá uma adiantada no dever de casa, talvez alguma tarefa extra que ajude a melhorar as suas notas? Eu te chamo quando o jantar estiver pronto.

Chego a considerar a possibilidade de estudar, mas então, como é feriado, acabo me instalando no sofá da sala e vendo um filme antigo. Sinto cheiro de queimado duas vezes, faço uma careta quando algo de vidro se estilhaça no chão e fico escutando, na outra extensão, a conversa dele com a atendente do Disque Peru de Ação de Graças. Ela comenta que, afinal, sopa de peru é a melhor parte do Dia de Ação de Graças. Meu pai me chama da cozinha uma hora depois com o falso entusiasmo de quem fez uma tremenda besteira.

Está com uma pilha de ossos na tábua de carne. Uma panela de goma fervilha no fogão. Uns pedaços nas cores cinza, verde e amarelo rolam em meio às borbulhas do caldo esbranquiçado.

Papai: — Era para ser uma sopa.

Eu:

Papai: — Como estava com um gosto meio aguado, fui metendo espessante. Adicionei milho e ervilhas.

Eu:

Papai: [tirando a carteira do bolso de trás] — Liga e pede uma pizza, vai. Preciso me livrar disto.

Ligo pedindo uma pizza com queijo e cogumelos extras. Meu pai enterra a sopa no quintal, bem pertinho da nossa falecida beagle, Ariel.

OSSINHO DA SORTE

Quero homenagear o nosso peru. Nunca uma ave foi tão torturada a ponto de acabar virando um jantar intragável. Tiro os ossos do lixo e os levo para a aula de artes. O prof. Freeman fica todo animado. Entretanto, me aconselha a trabalhar com a ave, mas a continuar pensando em árvore.

Prof. Freeman: —Você está empolgadíssima, Melinda, dá para ver pelo brilho dos seus olhos. Percebo que tenta captar o significado, a subjetividade do efeito do mercantilismo dessa data. Que maravilha, que maravilha! Vire uma ave. Seja ela. Sacrifique-se como uma oferenda aos valores de família abandonados e às receitas com inhame idem.

Enfim.

No início, penso em colar os ossos formando uma pilha, tipo a de lenha de fogueira (sacou? — árvore — lenha), mas o prof. Freeman solta um suspiro. Posso fazer melhor que isso, diz. Então boto os ossos numa cartolina preta e tento desenhar um peru ao redor deles. O professor nem precisa me dizer que está uma porcaria. A essa altura, ele já começou a se dedicar ao próprio quadro e se esqueceu da nossa existência.

Ele está trabalhando em uma tela imensa. O esboço começou meio lúgubre — uma construção com a área interna toda destruída, numa estrada cinza em dia chuvoso. O prof. Freeman passou uma semana inteirinha pintando moedas sujas na calçada, caprichando para que ficassem perfeitas. Em seguida acrescentou uns rostos do pessoal do conselho escolar espiando pelas janelas da construção, pôs grades nas janelas e transformou o lugar numa prisão. A tela dele é melhor que a TV, afinal a gente nunca sabe o que vai acontecer em seguida.

Amasso a cartolina e espalho os ossos na mesa. Melinda Sordino — Antropóloga. Desencavei os restos de um sacrifício terrível. Toca o sinal, e lanço aquele olhar de filhotinho de cachorro para o prof. Freeman. Ele diz que vai ligar para a minha professora de espanhol e dar uma desculpa qualquer. Posso ficar durante o próximo tempo. Quando a Ivy escuta isso, implora para ficar também. Está tentando superar o medo de palhaços. Tem se dedicado a uma escultura esquisita — uma máscara por trás do rosto de um palhaço. O prof. Freeman atende aos apelos dela também. Ela meneia as sobrancelhas para mim e abre o maior sorriso. Quando me dou conta de que essa seria uma boa ocasião para fazer algum comentário simpático para ela, a garota volta a se concentrar no trabalho.

Colo os ossos numa placa de madeira, montando o esqueleto como uma exposição de museu. Encontro uns garfos e umas facas na caixa de sucata e os fixo como se estivessem atacando os ossos.

Dou um passo para trás. Ainda não está bom. Vasculho na caixa de novo e acho uma palmeira parcialmente derretida de um kit de Lego. Serve. O professor guarda tudo o que uma pessoa normal jogaria fora: brinquedinhos do McLanche Feliz, cartas de baralho perdidas, recibos de supermercado, chaves, bonecas, um saleiro, trenzinhos... Como é que ele sabe que tudo isso pode virar arte?

Arranco a cabeça de uma Barbie e a colo dentro do corpo do peru. Parece que ficou legal. A Ivy passa perto e olha. Arqueia a sobrancelha esquerda e balança a cabeça. Aceno para o prof. Freeman, e ele vem dar uma olhada. Quase desmaia de satisfação.

Prof. Freeman: — Excelente, excelente. O que é que isso lhe diz?

Droga. Eu não sabia que ia ter um teste. Dou uma pigarreada. Não consigo nem falar, a minha garganta está seca demais. Tento de novo, dando uma tossidinha.

Prof. Freeman: — Está com a garganta inflamada? Não se preocupe, todo mundo está assim. Quer que eu lhe diga o que vejo?

Faço que sim com a cabeça, aliviada.

—Vejo uma garota presa entre os restos de um feriado que apodrece, com sua carne se decompondo diariamente, conforme a carcaça vai secando. O garfo e a faca representam, evidentemente, os melindres da classe média. A palmeira dá um toque interessante ao conjunto. Um sonho inacabado, talvez? Uma lua de mel artificial, uma ilha deserta? Ou, quem sabe, uma filha deserta?

Dou uma risada, contra a minha vontade. Estou começando a sacar o que ele quer. Enquanto a Ivy e o prof. Freeman ficam olhando, tiro a cabeça da Barbie dali e a coloco em cima do esqueleto. Não tem lugar para a palmeira — eu a deixo de lado. Movo o garfo e a faca de maneira a que pareçam pernas longas. Então ponho um pedaço de fita adesiva na boca da Barbie.

Eu: — Você tem alguns gravetos? Uns raminhos? Eu queria fazer umas asas com eles.

A Ivy abre a boca para fazer um comentário, mas não diz nada. O prof. Freeman analisa o meu projeto tosco. Também não diz nada, e começo a achar que talvez tenha se aborrecido por eu ter tirado a palmeira. A garota tenta outra vez. — É assustador

— comenta. — De um jeito estranho. Não assustador como um palhaço, é... bem... como posso me expressar? Tipo assim, você não quer olhar para ele por muito tempo. Legal o seu trabalho, Mel.

Não é a reação que eu esperava, mas acho que é positiva. Ela podia ter empinado o nariz ou me ignorado por completo, mas não fez isso. O prof. Freeman fica dando umas batidinhas no próprio queixo. Parece sério demais para um professor de artes. Está me deixando nervosa.

Prof. Freeman: — Esta obra tem conteúdo. Dor.

Toca o sinal. Saio antes que ele possa fazer mais comentários.

DESCASCADA E DESCAROÇADA

Estamos estudando frutas em biologia. Faz uma semana que a srta. Keen ensina para a gente todos os detalhes relacionados a estames e pistilos, pericarpos e flores. Embora o solo esteja congelado e tenha até nevado um pouco ontem à noite, ela está decidida a manter vivo o espírito primaveril na sala de aula.

A Última Fileira vinha cochilando até ela explicar que, para conseguirem se reproduzir, as macieiras precisam das abelhas. A palavra "reprodução" chama a atenção da galera do fundo. Eles acham que tem a ver com sexo. A aula sobre pistilos e estames vira uma tremenda piada. A srta. Keen leciona desde a Idade Média. Seria preciso bem mais que uma fileira cheia de superaquecidos hipotálamos (hipopotálamos?) para desconcentrá-la durante a aula. Ela entra, então, totalmente tranquila na parte prática do laboratório.

Maçãs. Cada um de nós recebe uma faquinha de plástico e uma maçã de variedade diferente: Gala, Verde ou McIntosh. Em seguida ela manda a gente dissecá-las. A Última Fileira se ocupa em praticar esgrima. A srta. Keen escreve, em silêncio, o nome dessa galera no quadro-negro, junto com sua nota atual. Vai tirando um ponto a cada minuto que a batalha continua. A nota baixa de B- para C- antes mesmo de eles perceberem o que está acontecendo. Aí chiam.

Última Fileira: — Não é justo! Você não pode fazer isso com a gente! Não deu nem uma chance pra gente.

A srta. Keen tira mais um ponto. Então eles cortam as maçãs, resmungam, resmungam, praguejam, praguejam, velha chata, professora babaca.

David Petrakis, o meu Parceiro de Laboratório, corta sua maçã em oito fatias iguais. Não diz uma palavra. Está participando da Semana dos Futuros Médicos, apesar de ainda não ter decidido se fará o preparatório de medicina ou o de direito. O primeiro ano é meio que uma inconveniência para o garoto. Um trailer de creme antiacne antes do Longa-Metragem da Vida.

O cheiro de maçã impregna o ar. Uma vez, quando eu era pequena, os meus pais me levaram para um pomar. Aí o papai me colocou no alto de uma macieira. Tive a sensação de ter ido parar num conto de fadas, no galho firme de um sonho, vermelho, delicioso e frondoso. Abelhas zumbiam no ar, tão entupidas de maçã que nem se deram ao trabalho de me picar.

O sol aqueceu os meus cabelos, e uma brisa empurrou a mamãe para os braços do meu pai. Todos os demais pais e filhos que foram colher frutas sorriram por um longo, longo instante.

É esse o cheiro da aula de biologia.

Mordo a minha fruta. Dentes brancos maçã vermelha suculenta mordida profunda. David balbucia:

David: — Não era para fazer isso! A professora vai matar você! Só era para cortar! Não estava prestando atenção não? Vai perder pontos!

É óbvio que o David nunca subiu numa macieira, como é obrigação de toda criança.

Corto o resto da maçã em quatro pedaços grossos. A minha tem doze sementes. Uma delas, com a casca partida, estende a mãozinha branca para o alto. Uma macieira que cresce numa semente de maçã que cresce numa maçã. Mostro aquela semente específica para a srta. Keen. Ela me dá pontos extras. O David revira os olhos. Biologia é tudo de bom.

PRIMEIRA EMENDA, SEGUNDO VERSO

Rebelião no ar. Só falta uma semana para as Férias de Inverno. Os alunos fazem o que bem entendem, e os professores, estão cansados demais para se importar. Ouvi dizer que vai ter a tradicional gemada (eggnog) na sala dos professores. O espírito revolucionário vem desabrochando na aula de estudos sociais. O David Petrakis está defendendo a questão da liberdade de expressão.

Chego no horário à aula. Não ousaria usar uma autorização de atraso roubada com o Mister Pescoço. O David se senta na primeira fila e coloca um gravador sobre a carteira. Assim que o professor abre a boca para falar, o rapaz aperta ao mesmo tempo os botões Play e Rec, como um pianista tocando um acorde inicial.

O Mister Pescoço dá a aula de praxe. Estamos rumando em ritmo galopante para a Guerra da Independência. Ele escreve: "Não há tributação sem representação." Um lema rimado supermaneiro. Pena que não tinha adesivo para carro naquela época. Os colonos reivindicavam o direito de participar do Parlamento britânico. O poder não lhes dava ouvidos. A lição vai ficar ótima na gravação. Mister Pescoço chegou a preparar umas observações e tudo o mais. Sua voz se mostra tão suave quanto uma estrada recém-asfaltada. Sem percalços.

Mas a fita não vai captar o brilho furioso no olhar do professor. Ele encara David com raiva durante todo o tempo em que fala. Se um professor me fuzilasse com os olhos durante quarenta e oito minutos, eu viraria uma poça de gelatina derretida. Mas o David também encara Mister Pescoço.

A secretaria é o melhor lugar para a gente se inteirar das fofocas. Escuto por acaso e por alto uma conversa a respeito do advogado dos Petrakis, enquanto aguardo outro sermão da minha orientadora educacional sobre como não estou utilizando todo o meu potencial. E como é que ela sabe qual é o meu? Potencial para quê? Quando ela fala, blá-blá-blá, eu fico contando os pontinhos nas placas do forro do teto.

Como a orientadora educacional está atrasada hoje, eu fico ali sentada, invisível, na cadeira de plástico vermelha, enquanto a secretária põe uma voluntária da associação de pais e mestres a par, em tempo recorde, da questão dos Petrakis. Os pais de David tinham contratado um advogado influente, caro e impiedoso, que estava ameaçando processar a instituição e o Mister Pescoço por um monte de coisas, desde incompetência a violação dos direitos civis. Então permitiram que o gravador do David fosse usado na aula para documentar "possíveis futuras violações". A secretária não parece muito chateada com a ideia de Mister Pescoço ser demitido. Aposto como sabe muito bem quem ele é.

Naquela tarde, o David deve ter mencionado para o advogado os olhares furiosos que recebeu do professor, pois no dia seguinte colocaram uma câmera nos fundos da sala de aula. David Petrakis é o meu herói.

OS VOMBATES ARRASAM!

A Heather acaba me convencendo a ir à Reunião de Inverno. Ela odeia se sentar sozinha, quase tanto quanto eu. As Marthas ainda não tinham feito o convite definitivo para que se sentasse com elas. A garota está chateada, mas tenta não demonstrar. Em perfeito estilo Martha, ela usa um suéter verde com um rosto grandão de Papai Noel, legging vermelha e botas felpudas. Toda perfeitinha. Eu me recuso a usar qualquer coisa que seja sazonal.

Ela me dá um presente de Natal antecipado — brincos com sininhos, que tocam quando balanço a cabeça. Isso significa que vou ter que comprar algo para ela. Talvez seja boazinha e compre um colar com símbolos de amizade. A Heather é do tipo que curte esses trecos. Os sininhos são uma ótima escolha. Balanço a cabeça durante todo o discurso do Diretor Diretor, para abafar a voz dele. A orquestra toca uma música que ninguém conhece. A Heather diz que o conselho escolar não deixou que tocassem nada relacionado ao Natal, nem ao Chanucá nem ao Kwanzaa.[*] Em vez de multicultura, cultura zero.

O ponto alto da reunião é o anúncio do nosso novo nome e o da mascote. O Diretor Diretor lê o total dos votos: Abelhas: 3. Icebergs: 17. Desbravadores: 1. Vombates: 32. Os outros 1.547 votos ou foram para candidatos não oficiais ou estavam pra lá de ilegíveis.

Os Vombates do Merryweather. Parece legal. Soa bem. Somos os Vombates, os vacilantes e vilões Vombates! Os vagarosos, vulneráveis, vergonhosos e vexaminosos Vombates! Passamos pelas Cheerleaders Raven e Amber a caminho do meu ônibus. Elas estão de cenho franzido, quebrando a cabeça para encontrar palavras legais que rimem com "vombate". A democracia é maravilhosa.

---

[*] Festividade afro-americana, celebrada entre 26 de dezembro e 1º de janeiro. (N.T.)

FÉRIAS DE INVERNO

Estamos de férias, e só faltam dois dias para o Natal. A minha mãe deixou um bilhete dizendo que eu podia montar a árvore, se quisesse. Vou até o porão, pego a árvore e a arrasto pelo chão até a porta da garagem; daí a coloco de pé para tirar a poeira e as teias de aranha com uma vassoura. A gente já nem tira mais as luzinhas. Só preciso pendurar os enfeites.

Tem alguma coisa no Natal que pede a presença de uma criancinha. Elas é que tornam essa celebração divertida. Fico me perguntando se não poderíamos alugar uma durante esse período. Quando eu era pequena, a gente comprava uma árvore de verdade e ficava acordado até tarde tomando chocolate quente e buscando o lugar certo para os enfeites especiais. Parece que os meus pais deixaram de lado a magia quando eu descobri que Papai Noel não existia. De repente eu não devia ter contado para eles que sabia de onde vinham os presentes. Eles ficaram de coração partido.

Aposto que já estariam separados, a esta altura, se eu não tivesse nascido. Tenho certeza de que fui a maior decepção. Não sou bonita, nem inteligente, nem atlética. Sou como o casal — um parasita comum envolto em segredos e mentiras. Não dá nem para acreditar que vamos ter que continuar atuando até eu me formar. É uma pena que a gente não possa admitir que nossa vida familiar foi um verdadeiro fracasso, para então vender a casa, dividir a grana e tocar a vida adiante.

Feliz Natal.

Telefono para a Heather, mas ela está fazendo compras. O que será que ela faria se estivesse aqui e não encontrasse o menor espírito natalino na casa? Vou fingir ser ela. Eu me envolvo toda em roupas de inverno nada fashion, amarro um cachecol na cabeça e saio, enfrentando as montanhas de neve acumulada. O quintal está show. O gelo que cobre as árvores e os arbustos reflete os raios solares de um jeito incrível. Simplesmente me dá vontade de desenhar, com o corpo, um anjo na neve.

Caminho com todo o cuidado até uma área cheia de neve fofa e me deixo tombar para trás. O cachecol cai no meu rosto conforme estico os braços e os movimento, desenhando minhas asas. A lã úmida cheira a primeira série, a caminhada para o colégio numa manhã gelada com as moedinhas para a merenda na ponta das luvas. A gente morava noutra casa naquela época, bem menor. Minha mãe trabalhava como vendedora de joias e já estava em casa quando eu voltava da escola. Meu pai tinha um chefe mais legal e falava o tempo todo em comprar um barco. Eu acreditava em Papai Noel.

O vento agita os galhos acima de mim. Meu coração ressoa como um alarme de incêndio. O cachecol está apertado demais na minha boca. Eu o tiro para respirar. O suor da minha pele congela. Quero fazer um pedido, mas não sei o que poderia ser. E a neve está começando a entrar pelas minhas costas.

Quebro uns galhinhos do azevinho e uns raminhos de pinheiro e os levo para dentro. Amarro-os com um fio vermelho e os coloco na moldura da lareira e na mesa de jantar. Não parece tão bacana quanto o que a mulher na TV fez, mas pelo menos espalha um cheiro gostoso pela casa. Eu ainda queria poder ter uma criancinha emprestada por alguns dias.

A gente dorme até o meio-dia no Natal. Dou um suéter preto de presente para a mamãe e um CD com sucessos dos anos sessenta para o papai. Eles me dão um montão de vales-presentes, uma TV para o meu quarto, patins de gelo e um caderno de desenho com lápis de carvão. Disseram que me viram desenhar. Quase conto para eles ali mesmo, naquele momento. Meus olhos ficam marejados. Eles notaram que ando tentando desenhar. Repararam em mim. Tento engolir a bola de neve presa na minha garganta. Isso não vai ser nada fácil. Tenho certeza de que suspeitam que eu estava na festa. Talvez até tenham ouvido falar que chamei a polícia. Enquanto estamos ali sentados, na frente da nossa árvore de Natal de plástico, com o vídeo de *Rudolph, a Rena do Nariz Vermelho* passando na TV, fico com vontade de contar tudo.

Enxugo os olhos. Os meus pais aguardam, com sorrisos incertos. A bola de neve aumenta. Quando entrei escondido em casa naquela noite, eles tinham saído. Os dois carros nem estavam lá. Era para eu ter passado a noite na casa da Rachel — eles não me esperavam, com certeza. Fiquei debaixo do chuveiro até a água quente acabar, aí me meti na cama e não dormi. Minha mãe chegou por volta das duas da madrugada, meu pai, um pouco antes do amanhecer. Eles não tinham saído juntos. O que será que fizeram? Eu achava que sabia. Como posso falar com os dois sobre aquela noite? Por onde devo começar?

Rudolph se prepara para viajar na banquisa. "Eu sou independente", declara ele. Meu pai olha para o relógio. Minha mãe mete os papéis de embrulho num saco de lixo. Eles saem da sala. Continuo sentada no chão, segurando o caderno e os lápis. Eu nem disse "obrigada".

RELAÇÃO

Tive dois dias de liberdade antes de meus pais concluírem que eu não ia "ficar em casa vagabundando as férias inteiras". Preciso ir para o trabalho com eles. Legalmente, não tenho idade suficiente para fazer isso, mas eles não estão nem aí. Passo o fim de semana inteirinho na loja da minha mãe, lidando com todas as mercadorias devolvidas por gente mal-humorada. Será que teve alguém nessa cidade que ganhou o que queria no Natal? Vou te contar, não parece não! Como sou menor de idade, minha mãe me manda para o depósito, no porão. Tenho que redobrar todas as camisas e colocar todos os onze alfinetes em cada uma. As outras funcionárias me olham como se eu fosse uma X9, como se a minha mãe tivesse me mandado para o porão para que eu ficasse espionando todo mundo. Dobro umas camisas, daí descanso e pego um livro. A mulherada relaxa. Sou uma deles. Também não queria estar aqui.

É óbvio que a minha mãe percebeu que eu não fiz praticamente nada, mas não comenta no carro. A gente sai bem tarde de lá, pois ela está cheia de serviço. As vendas foram péssimas — ela não chegou nem perto da meta que tinha estabelecido. Cabeças vão rolar. A gente para no sinal. Ela fecha os olhos. A pele dela está meio cinza, desbotada, tipo roupa de baixo lavada demais, prestes a desmanchar. Fico com o maior peso na consciência por não ter dobrado mais camisas para ela.

No dia seguinte, eles me mandam para o trabalho do meu pai. Ele vende algum tipo de seguro, mas não sei como nem por quê. Meu pai monta uma mesa desmontável no escritório. Tenho que colocar os calendários dentro dos envelopes, fechá-los e colar etiquetas. Ele se senta à escrivaninha e conversa com os amigos ao telefone.

O meu pai consegue trabalhar com os pés pro alto. Pode rir com os amigos ao telefone. Manda pedir o almoço por telefone. Acho que ele merecia ficar dobrando camisas no porão e ajudando a minha mãe. Eu merecia ficar vendo TV, cochilando ou até indo para a casa da Heather. Na hora do almoço, o meu estômago fervilha, furioso. A secretária do meu pai faz um comentário simpático para mim quando me traz a comida, mas nem respondo. Fuzilo com os olhos a nuca dele. Pê, muito pê da vida. Ainda tenho outro milhão de envelopes para fechar. Passo a língua pela borda pegajosa e nojenta. A borda afiada da aba me corta. Sinto gosto de sangue. O rosto do TROÇO surge na minha mente. Toda a raiva se esvai sibilando de mim como se eu fosse um balão furado. Meu pai fica passado quando vê em quantos calendários meu sangue respingou. Fala da necessidade de procurarmos ajuda profissional.

Na verdade, ainda bem que as aulas já vão recomeçar.

FALTA

Como agora o chão está coberto por uma camada de sessenta centímetros de neve, os professores de ed. fícil deixam a gente ter aula na quadra coberta. Mas mantêm a temperatura do ginásio em torno de cinco graus, afinal, "um arzinho gelado nunca fez mal a ninguém". Fácil para eles falarem, com aquelas calças felpudas de moletom.

Quem manda na quadra coberta é o basquete. A srta. Connors ensina para a gente como arremessar lances livres. Vou até a linha de lance livre, bato a bola duas vezes e faço a cesta. A professora me manda repetir. E converto de novo. Ela fica me mandando bolas, e eu continuo a fazer cestas — Chuá, Chuá, Chuá. Quarenta e dois arremessos depois, com os braços já trêmulos, erro uma. Àquela altura, a turma toda já se reuniu em torno de mim e fica observando. A Nicole não se contém: — Você tem que entrar pro time! — grita.

Srta. Connors: — Venha se encontrar comigo aqui de novo, durante o horário livre. Você Vai Longe com essa Mão!

Eu:

É uma srta. Connors triste e cabisbaixa que se encontra comigo três horas depois. Ela segura com dois dedos o papel com as minhas notas atuais: D, C, B-, D, C-, C, A. Nada de entrar para o time de basquete, pois só tenho A em artes, e a minha média geral está baixíssima. A professora não ganhou uma bolsa de estudos por ser craque no lacrosse sendo insegura e hesitante. Ela cronometra o meu tempo na corrida com bola, então volta a me fazer arremessar lances livres.

Srta. Connors: — Tente um lançamento atrás da linha dos três pontos arremesse usando a tabela você já pensou em contratar um professor particular bom arremesso aqueles Ds estão acabando com você tente fazer uma bandeja precisa treinar mais esse lance talvez eu consiga dobrar seu professor de estudos sociais mas a de inglês não vai ceder mesmo ela odeia esportes você domina o arremesso de gancho?

Simplesmente faço o que a professora me pede. Se eu estivesse a fim de falar, explicaria que nem que ela me pagasse eu jogaria no time de basquete dela. Correr daquele jeito? Suar? Ser atropelada por aquelas mutantes genéticas? De jeito nenhum. Mas, se o time pudesse ter uma jogadora que só arremessasse os lances livres, até que eu pensaria no assunto. O outro time comete uma falta, aí você encesta. Chuá. Mas não é assim que a coisa funciona, nem no basquete, nem na vida.

A professora parece fascinada. Eu curto a sensação de me sair superbem em algo — mesmo que seja acertar um monte de lances livres. Vou deixá-la sonhar mais um pouquinho. A equipe oficial masculina vai chegando aos poucos. Eles perderam as cinco partidas que disputaram. Vai Vombates!

O Girafa, vulgo Brendan Keller, o que contribuiu para o meu mico do purê de batata com molho no primeiro dia de aula, está debaixo da cesta. Os outros caras se movimentam e fazem os passes para ele. Brendan estende seu tentáculo magricelo, e dá uma enterrada. Os nossos rapazes são imbatíveis, desde que sejam os únicos na quadra.

O técnico grita algo que não entendo, e o time se enfileira atrás do Girafa para praticar arremessos de lance livre. Ele bate a bola, um, dois, três. Arremessa. Erra. Bate, um, dois, três... Fora. Fora. Fora. Não consegue converter uma cesta sequer para salvar seu pescoço esquelético.

A srta. Connors conversa com o técnico do masculino, enquanto eu fico vendo o resto da equipe acertar míseros trinta por cento. Daí ela sopra o apito e acena para que eu vá até lá. Os rapazes

saem do caminho, e me posiciono atrás da linha de lance livre.
— Mostra pra eles — manda a professora. Eu, a foca amestrada,
bato a bola, um, dois, arremesso, cesta perfeita; de novo, outro
acerto e mais um, até os caras pararem de jogar e começarem a
me invejar. A srta. Connors e o técnico de basquete conversam
seriamente, os cenhos franzidos, as mãos nos quadris, os bíceps
se contraindo. Os rapazes não desgrudam os olhos de mim — a
visitante do Planeta Lance Livre. Quem é essa garota?

A professora dá um soquinho no braço do técnico. E ele dá
outro no dela. Os dois me fazem uma proposta. Se eu me oferecer para ensinar o Girafa a converter, vou ganhar automati-
camente A em ginástica. Dou de ombros, e eles sorriem. Eu
não consegui negar. Não consegui dizer que não. Não consegui
dizer nada. Tá tranquilo. Simplesmente não vou dar as caras.

PINTANDO O SETE

A nossa sala de artes está bombando como um museu cheio
de O'Keeffes, Van Goghs e aquele francês que pintava flores
com um montão de pontinhos. O prof. Freeman é o Professor
Popular da hora. Segundo os boatos, vai ser o Professor do Ano
no anuário do colégio.

A sala dele virou o QG Maneiro. Ele deixa o rádio ligado.
Podemos até comer lá dentro, desde que a gente faça o nosso
trabalho. Como o professor expulsou alguns vacilões que con-
fundiram liberdade com ausência de regra, os que ficaram
entenderam bem o recado. A aula é maneira demais para estar

de fora. A sala fica cheia de pintores, escultores e desenhistas durante o horário livre, e alguns estudantes ficam lá até o último dos últimos ônibus estar prestes a se mandar.

O quadro do professor está ficando irado. Um jornalista ouviu falar nele e escreveu um artigo, dizendo que o prof. Freeman era um gênio talentoso, que tinha dedicado a vida ao ensino. Uma foto a cores da obra em andamento acompanhou a matéria. Alguém comentou que alguns membros do conselho se reconheceram. Aposto que vão processar o professor.

Bem que eu queria que ele incluísse uma árvore na sua obra de arte. Não estou conseguindo achar uma forma de fazer a minha parecer real. Já estraguei umas seis placas de linóleo. Eu visualizo um velho e sólido carvalho, com um tronco largo e desgastado, e milhares de folhas estendendo-se na direção do sol. Na frente da minha casa, tem uma árvore igualzinha. Consigo até sentir o vento soprando e um sabiá cantando, a caminho do ninho. Mas, quando vou tentar desenhá-la, ela fica parecendo uma árvore morta, uns palitos de dentes, um desenho infantiloide. Não consigo dar vida a ela. Gostaria muito de não ter que tentar mais. De desistir. Mas, como não faço ideia de que outra coisa poderia fazer, continuo entalhando.

O Diretor Diretor apareceu sem mais nem menos ontem, farejando a maior zona na aula. O bigode dele se movia para cima e para baixo, como um radar fazendo sua varredura e detectando tudo o que fugia à regra. A mão invisível de alguém desligou o rádio assim que ele entrou na sala, e sacos de batatinha frita desapareceram, fazendo com que um leve cheiro de sal se misturasse ao de tinta a óleo vermelhão e à argila úmida.

Ele escaneia a sala, em busca de alegria e prazer. Achou apenas cabeças inclinadas, lápis graciosos, pincéis imersos em tintas. O prof. Freeman, que retocava as raízes escuras dos cabelos de uma mulher do conselho escolar, perguntou se o Diretor Diretor precisava de algo. O homem saiu indignado da sala, rumo ao paradisíaco refúgio fumacento do Desperdício de Gente.

Talvez eu me torne artista, se crescer.

A GAROTA DO PÔSTER

A Heather deixou um bilhete no meu armário, implorando que eu fosse até a casa dela depois do colégio. Ela está numa fria. Não tem correspondido às exigências das Marthas. Aí me conta a história, aos prantos, no quarto dela. Eu escuto, tirando as bolinhas que se formaram no meu suéter.

As Marthas organizaram uma reunião de trabalhos manuais, para confeccionar almofadas para o Dia dos Namorados para as criancinhas internadas no hospital. Meg "mais" Emily costuravam três laterais de almofadas, e as outras as enchiam, fechavam e colavam corações e ursinhos. A Heather era a encarregada dos corações. Estava bolada porque algumas Marthas não gostaram da roupa dela. Aí gritaram com ela por ter colado os corações todos tortos. Em seguida, a tampa do frasco de cola caiu e estragou por completo uma almofada.

A essa altura do relato, a Heather joga uma boneca contra a parede no outro lado do quarto. Eu tiro o esmalte do alcance dela.

A Meg rebaixou a Heather ao posto de enchedora de almofadas. Assim que a cadeia de montagem voltou a rolar, a reunião começou. Tema: a Campanha de Doação de Enlatados. As Marthas Veteranas estão encarregadas de doar alimentos para os necessitados (com a presença de um fotógrafo de jornal) e de se encontrar com o diretor para coordenar o que quer que esteja precisando de coordenação.

Paro de prestar atenção. A Heather menciona quem está a cargo dos representantes de turma e quem está a cargo da publicidade e de não sei mais o quê. Não volto à Terra até ela comentar: — Eu sabia que você não ia se importar, Mel.

Eu: — Hein?

Heather: — Eu sabia que você não ia se importar em ajudar. Acho que a Emily fez de propósito. Ela não vai com a minha cara. Eu ia pedir que você me ajudasse, e aí ia dizer que tinha feito tudo sozinha, mas isso seria uma mentira e, além disso, elas acabariam me deixando encarregada de fazer todos os pôsteres pelo resto do ano. Então eu comentei que tinha uma amiga supertalentosa, que gostava de fazer trabalho comunitário, e perguntei se ela não podia me ajudar a fazer esses cartazes.

Eu: — Quem?

Heather: [embora ela já esteja sorrindo, continuo segurando o esmalte] — Você, sua boba. Desenha melhor do que eu e tem tempo de sobra. Ah, vai, diz que vai fazer os pôsteres, anda! Talvez elas até convidem você para fazer parte, quando virem como é talentosa! Por favor, por favor, com chantilly, castanha e cereja em cima, por favor! Se eu não fizer isso direito, sei que elas vão me condenar ao isolamento, e nunca mais vou fazer parte de nenhuma das tribos legais.

Como eu podia dizer não?

RÃS MORTAS

Na aula de biologia, passamos de frutas a rãs. A professora só ia dar o capítulo sobre anatomia em abril, mas a empresa de anfíbios entregou as nossas vítimas no dia 14 de janeiro. Como as rãs em conserva descobriram um modo de fugir do depósito, hoje a srta. Keen deu uma faca para cada um, e disse para segurarmos a ânsia de vômito.

David Petrakis, meu Parceiro de Laboratório, está animadíssimo — anatomia, finalmente. As listas a serem decoradas são enormes. O osso do salto ligado ao osso do pulo, o osso do coaxo ligado ao osso pega-mosca. Ele considera, seriamente, colocar uma daquelas máscaras de médico no rosto enquanto a gente "opera". Acha que seria um procedimento adequado.

A sala não cheira a maçã, e sim a suco de rã, uma mistura de asilo superlotado com salada de batata. A Última Fileira presta atenção. Dissecar sapos mortos é maneiro.

A nossa rã está deitada de costas. Tá esperando o quê? Que um príncipe chegue e a faça virar princesa com um beijo? Eu me inclino sobre ela com a faca em punho. A voz da srta. Keen diminui de volume, parecendo zumbido de mosquito. A minha garganta começa a fechar. Está difícil respirar. Apoio a mão na bancada para me equilibrar. David fixa com alfinetes as patinhas superiores da rã na bandeja de dissecação. Abre as perninhas ranosas e prende as patinhas inferiores. Eu tenho que fazer um corte e abrir a barriga dela. A rã não diz uma palavra. Já está morta. Um grito começa a nascer nas minhas entranhas — consigo sentir o cheiro da terra, sentir o corte, sentir as folhas no meu cabelo.

Não me lembro do desmaio. O David conta que eu bati a cabeça na beirada da bancada antes de cair no chão. A enfermeira liga para a minha mãe porque preciso levar pontos. A médica examina o fundo dos meus olhos com uma luz forte. Será que pode ler os pensamentos escondidos ali? E se pode, o que vai fazer? Chamar a polícia? Me mandar para um hospício? É o que eu quero que faça? Eu só queria dormir. O intuito de não conversar sobre aquilo, de silenciar a lembrança, é fazer com que ela vá embora. Mas não é o que acontece. Vou precisar é de uma neurocirurgia para tirá-la da cabeça. Talvez eu deva esperar até o David Petrakis se tornar médico e deixar que ele cuide disso.

CIDADÃ MODELO

A Heather conseguiu um trabalho de modelo numa loja de departamentos no shopping. Diz que estava comprando meias com a mãe, uma semana depois de ter tirado o aparelho dos dentes, quando uma mulher perguntou se ela era modelo. Acho que o fato de o pai dela trabalhar na empresa que administra o shopping teve a ver com isso.

Esse bico de modelo ganhou pontos à beça com as Marthas. Todas querem ser a Nova Melhor Amiga da Heather. Mas fui eu que ela convidou para ir à seção de fotos de biquíni. Tenho a impressão de que está com medo de fazer besteira na frente de todo mundo. A mãe dela leva a gente, de carro. Pergunta se quero ser modelo. A Heather diz que sou tímida demais. Vejo que a mãe dela me observa pelo espelho retrovisor, e levo a mão à boca para esconder meus lábios. As casquinhas ficam particularmente asquerosas vistas por aquele espelhinho retangular.

Claro que estou a fim de ser modelo. Quero passar sombra dourada nas pálpebras. Vi isso numa capa de revista e achei fantástico — transformou a modelo numa alienígena sexy, que todo mundo queria olhar mas ninguém ousava tocar.

Eu curto demais cheeseburger para ser modelo. A Heather parou de comer, reclamando da retenção de líquido. Devia se preocupar mais com a retenção de cérebro, do jeito que a sua dieta rígida está consumindo sua massa encefálica. Da última vez que experimentou uma calça nova, o tamanho 36 já estava folgado, e ela *tinha* que chegar ao 34.

A seção de fotos acontece num prédio frio o bastante para servir de frigorífico. A Heather até parece o nosso peru do Dia de Ação de Graças de biquíni azul. Cada ponto arrepiado do corpo é maior que o peito dela. Estou batendo queixo, e olha que coloquei o meu casaco de esqui e um suéter de lã. O fotógrafo aumenta o volume do rádio e começa a dar ordens para as modelos. A Heather entra totalmente no espírito da coisa. Joga a cabeça para trás, olha fixamente para a câmera, mostra os dentes. O cara fica dizendo: "Sensual, sensual, beleza. Olhe para cá. Sensual, pense na praia, pense nos saradões." Isso me incomoda. A Heather espirra no meio de uma pose em grupo, e a mãe leva correndo uns lenços de papel para ela. Deve ser contagioso. A minha garganta está me matando. Estou a fim de tirar uma soneca.

Não compro a sombra dourada, mas pego um frasquinho de esmalte Peste Negra. É sinistro, com umas linhas vermelhas serpenteantes. Como as minhas unhas estão roídas a ponto de sangrar, vai ficar supernatural. Preciso comprar uma blusa que combine com ele. De um tom cinza-tuberculoso.

MORTE POR ÁLGEBRA

O sr. Stetman não desiste. Está decidido a provar de uma vez por todas que a álgebra é uma coisa que a gente vai usar pelo resto da vida. Se conseguir, acho que deviam dar a ele o prêmio de Professor do Século e duas semanas de férias no Havaí, com tudo pago.

Ele traz para a sala, todo santo dia, uma nova Aplicação na Vida Real. É legal ele gostar tanto de álgebra e dos alunos para tentar unir os dois. Parece até um avô que quer unir um rapaz e uma moça, sabendo que os dois formarão um casal perfeito. Só que eles não têm nada em comum, na verdade se odeiam.

A Aplicação de hoje tem a ver com o comércio de peixinhos de aquário — guppies para ser mais específica — no pet shop e com o cálculo de quantos indivíduos seriam necessários para se iniciar um negócio. Assim que eles se transformam em x e y, as minhas lentes de contato embaçam. A aula termina com um debate entre os defensores dos direitos dos animais, que dizem ser imoral confinar peixes, e os fervorosos capitalistas, para os quais há formas melhores de ganhar dinheiro que investir num peixe que come os próprios filhotinhos. Fico só olhando a neve cair lá fora.

PALAVRAS DÃO TRABALHO

Dona Juba anda torturando a gente com redações. Será que as professoras de inglês passam as férias sonhando com esses troços?

A primeira deste semestre foi um desastre. "Por que os Estados Unidos são Incríveis" em quinhentas palavras. Ela deu três semanas para a gente. Só a Tiffany Wilson entregou a dela no prazo. Mas a tarefa não chegou a ser um fracasso total — Dona Juba dirige nossa Companhia de Arte Dramática e até recrutou um montão de participantes novos com base na atuação deles para explicar por que precisavam de uma prorrogação do prazo de entrega.

Além de um cabeleireiro demente, ela tem um senso de humor distorcido. A redação seguinte era para ser ficcional. "A melhor desculpa para não entregar o dever de casa no prazo", em quinhentas palavras. Para o dia seguinte. Ninguém atrasou a tarefa.

Mas agora Dona Juba vai de vento em popa. "Como eu mudaria o Ensino Médio", "A idade mínima para dirigir passa a ser 14 anos", "O emprego perfeito". Embora os temas sejam divertidos, é um atrás do outro, sem parar. Primeiro, conseguiu dobrar a turma passando uma tonelada de dever, sem que ninguém pudesse chiar muito, porque os temas sempre tinham a ver com as coisas que a gente fala o tempo todo. Mas ultimamente a Dona Juba começou a incluir disfarçadamente gramática (calafrios) na aula. Um dia, a gente trabalhou com os tempos verbais: "Eu surfo na internet, Eu surfei na internet, Eu estava surfando na internet." Depois, com adjetivos restritivos. É melhor dizer: "O taco de lacrosse velho da Nicole atingiu a minha cabeça" ou "O taco de lacrosse cor de vômito, retorcido e sujo de sangue da Nicole atingiu a minha cabeça"? Dona Juba até tentou ensinar para a gente a diferença entre voz ativa — "Eu devorei um pacote de Oreo" — e a voz passiva — "Um pacote de Oreo foi devorado por mim".

As palavras dão um trabalhão. Espero que mandem logo a Dona Juba para um simpósio ou algo assim. Estou disposta a ajudar a pagar por um substituto.

DANDO NOME AO MONSTRO

Eu me dedico aos pôsteres da Heather por duas semanas. Tento desenhá-los na sala de artes, mas tem gente demais lá me observando. O meu cubículo é tranquilo, e os pilôs têm um cheiro gostoso. Eu podia ficar aqui para sempre. TRAGA UMA LATA, SALVE UMA VIDA. A Heather me disse para ser direta. É a única forma de conseguirmos o que queremos. Desenho pôsteres de jogadores de basquete jogando latas na cesta. Eles demonstram estar em ótima forma.

A Heather conseguiu outro trabalho de modelo — estilo tenista, acho eu. Por isso pediu que eu pendurasse os pôsteres para ela. Para falar a verdade, não me importo. É legal que os outros me vejam fazendo uma boa ação. Talvez, quem sabe, ajude a minha reputação. Quando estou pendurando um pôster do lado de fora da sala de metalurgia, O TROÇO aparece sorrateiramente. Limalha de ferro começa a entupir as minhas veias. O TROÇO sussurra para mim.

— Carnefresca. — É o que O TROÇO murmura na minha direção.

O TROÇO me encontrou de novo. E eu que achei que podia ignorar O TROÇO. Tem quatrocentos alunos do primeiro ano aqui, duzentas garotas. Além de todas as outras séries. Mas ele sussurra para mim.

Consigo sentir o cheiro dele apesar da barulheira na sala de metalurgia e deixo o pôster e a fita adesiva caírem e fico com vontade de vomitar e sinto o cheiro dele e corro e ele lembra e sabe. Ele sussurra no meu ouvido.

Minto para a Heather sobre a fita adesiva e digo que a coloquei na caixa de materiais.

RODADA DE ALUGUEL 3

A orientadora educacional liga para minha mãe na loja, a fim de preparar o terreno para o meu boletim. Não posso me esquecer de mandar para a figura um cartão de agradecimento.

Mal acabamos de jantar, o Combate está sendo travado a todo volume. Notas, blá, blá, blá, atitude, blá, blá, blá, ajuda em casa, blá, blá, blá, já não é mais criança, blá, blá, blá.

Fico observando as Erupções. O Monte Papai, há muito tempo adormecido, passa a ser considerado armado e perigoso. O Monte Santa Mamãe solta lava e cospe fogo. Melhor falar para os aldeões se mandarem depressa para o mar. Por trás dos olhos fico conjugando verbos irregulares em espanhol.

Uma pequena nevasca cai lá fora. A meteorologista diz que é uma tempestade de efeito lacustre — o vento do Canadá suga a água do lago Ontário, faz com que ela passe na máquina de congelamento e então a despeja aqui na nossa cidade. Posso até sentir o vento lutando para passar pelas nossas janelas à prova de tormentas.

Os meus pais ficam me fazendo perguntas do tipo: "O que é que há de errado com você?" e "Você acha isso bonito?". Como posso responder? Nem preciso. Eles não querem mesmo ouvir nada do que tenho a dizer. Aí me põem de castigo até o Segundo Advento. Tenho que voltar direto para casa depois do colégio, a não ser que minha mãe marque um encontro com algum professor. Não posso ir para a casa da Heather. Ameaçaram tirar a TV a cabo. (Mas não creio que vão levar esse castigo adiante.)

Faço meu dever e mostro para eles, como uma boa menina. Quando me mandam deitar, escrevo um bilhete de fugitiva e o deixo na minha mesa. Minha mãe me encontra dormindo no closet do quarto. Daí me entrega um travesseiro e fecha a porta de novo. Não teve mais blá-blá-blá.

Abro um clipe e o passo na parte interna do meu pulso esquerdo. É patético. Se uma tentativa de suicídio é um pedido de socorro, então, isso que estou fazendo é o quê? Um choramingo, um ganido? Provoco umas rachaduras de sangue, talhando linha após linha até parar de doer. Fica parecendo que fiz queda de braço com uma roseira.

A minha mãe vê meu pulso no café da manhã.

Mamãe: — Não tenho tempo para isso, Melinda.

Eu:

Ela diz que suicídio é coisa de gente covarde, o que pode ser chamado de ladonegrodaforçamaterna. A minha mãe chegou até a comprar um livro sobre o assunto. Amor odioso. Açúcar amargo. Veludo farpado. Conversa calada. Ela deixa o livro na bancada do banheiro, para me educar. Descobriu que eu não falo muito. Isso a perturba.

NA LATA

O almoço com a Heather começa frio. Desde as férias de inverno, ela tem sentado a um canto afastado da mesa das Marthas, e eu, na frente dela. Já saquei que tem alguma coisa errada assim que entrei no refeitório. Todas as Marthas estão de roupas combinando: minissaias de veludo cotelê, blusas listradas e bolsas de plástico transparente. Devem ter ido fazer compras juntas. Só a Heather está diferente. Não foi convidada.

A Heather é uma garota na dela demais para se estressar por causa disso. Eu fico estressada por ela. Dou uma mordida enorme no meu sanduíche de manteiga de amendoim e geleia, e tento não engasgar. As Marthas esperam até ela estar com a boca cheia de queijo cottage. A Siobhan coloca uma lata de beterraba em conserva na mesa.

Siobhan: — O que é isso?

Heather: [engolindo] — Uma lata de beterraba.

Siobhan: — Não diga, dããã! A gente encontrou uma sacola cheia disso no armário das doações. Deve ter sido você que colocou lá.

Heather: — Uma vizinha me deu. É beterraba. As pessoas comem isso. Qual é o problema?

As outras Marthas suspiram ao mesmo tempo. Ao que tudo indica, beterraba Não É Bom o Bastante. As Legítimas Marthas só coletam alimentos que comem, tipo compota de amora, atum orgânico e miniervilhas. Noto que a Heather está enfiando as unhas nas palmas das mãos, debaixo da mesa. A manteiga de amendoim fica grudada no céu da minha boca como um aparelho móvel.

Siobhan: — E isso não é tudo. Os seus números estão, tipo assim, deprimentes.

Heather: — Que números?

Siobhan: — Sua cota de latas. Você não está fazendo a sua parte. Não está contribuindo.

Heather: — Só faz uma semana que a gente começou. Eu sei que vou conseguir mais.

Emily: — Não é só a cota de latas. Os seus pôsteres estão ridículos, o meu irmãozinho teria feito coisa melhor. Não é à toa que ninguém quer apoiar a gente. Você transformou este projeto numa piada de mau gosto.

Daí a Emily desliza a própria bandeja pela mesa, rumo à Heather, que se levanta sem dizer uma palavra e vai jogar o conteúdo fora. Traidora. Não vai defender os meus pôsteres. A manteiga de amendoim endurece no céu da minha boca.

A Siobhan cutuca a Emily e olha para a porta.

Siobhan: — É ele. O Andy Evans acabou de entrar. Acho que está procurando você, Emy.

Eu me viro. Elas estão falando do TROÇO. Andy. Andy Evans. Nome curto e grosso. Andy Evans, que entra com uma embalagem de fast food. Ele oferece um burrito para o monitor do refeitório. A Emily e a Siobhan ficam dando risadinhas. A Heather volta, já sorrindo de novo, e pergunta se o Andy é tão malvado quanto dizem. A Emily fica da cor de beterraba enlatada.

Siobhan: — É lenda.

Emily: — Fato: o cara é um gato. Fato: é rico. Fato: só é um tiquinho de nada perigoso e ligou pra mim ontem à noite.

Siobhan: — Boato: dorme com qualquer uma.

A manteiga de amendoim tranca meus maxilares, fixando-os.

Emily: — Não acredito nisso. Esses boatos são espalhados por gente invejosa. E aí, Andy? Trouxe almoço para todo mundo, é?

Parece até que o Príncipe das Trevas passou o manto sobre a mesa. O ambiente escurece. Sinto um calafrio. O Andy está de pé atrás de mim, azarando a Emily. Eu me inclino na mesa para ficar o mais longe possível dele. A mesa me serra em duas. A boca da Emily se move, e as luzes fluorescentes reluzem nos seus dentes. As outras garotas se aproximam rápido dela, para absorver seus Raios de Atratividade. O Andy deve estar falando também, pois sinto vibrações profundas na coluna, como se viessem de um subwoofer. Não consigo ouvir as palavras.

Ele gira o meu rabo de cavalo com os dedos. A Emily semicerra os olhos. Sussurro qualquer coisa e corro para o banheiro. Vomito o almoço na privada, e então lavo o rosto com o líquido gelado que sai da torneira de água quente. A Heather não vem atrás de mim.

ARTE OBSCURA

O céu paira a centímetros das nossas cabeças, como laje de concreto. De que lado fica o leste? Faz tanto tempo que não vejo o sol, que nem lembro mais. Velhos casacos saem de seus esconderijos. Seus velhos donos se escondem dentro deles. A gente só vai conseguir ver alguns estudantes na primavera.

O prof. Freeman está em apuros. Em sérios apuros. Desistiu de lidar com a papelada administrativa quando o conselho escolar cortou a verba de material dele ao se darem conta do que ele estava fazendo. Os professores acabaram de entregar as notas da segunda avaliação, e o prof. Freeman deu 210 notas A. Alguém suspeitou de mutreta. Provavelmente a secretária da direção.

Fico pensando se ele foi convocado para ir até a sala do Diretor Diretor e se o que aconteceu foi incluído na ficha dele. O prof. Freeman tinha parado de trabalhar na tela, no quadro que a gente achou que viraria uma obra de arte fantástica e importantérrima, que seria leiloada por milhares de dólares. A sala de artes está gelada, e o rosto do prof. Freeman adquiriu um tom cinza-arroxeado. Se ele não estivesse tão deprê, eu perguntaria qual é o nome daquela cor. O professor, só, fica lá sentado na banqueta, o cocô do cavalo do bandido.

Ninguém fala com ele. Nós sopramos os dedos para esquentá-los, aí esculpimos ou desenhamos ou pintamos ou esboçamos ou, no meu caso, entalhamos. Começo a trabalhar numa nova placa de linóleo. A minha última árvore parecia ter morrido de uma infecção fúngica — nada perto do efeito que eu buscava. O frio deixa o linóleo mais rígido que o normal. Meto o cinzel na placa e vou tentando formar a linha de um tronco de árvore.

Acabo seguindo o contorno do meu polegar e me corto. Solto um palavrão e meto o dedo na boca. Como todo mundo me olha, eu o tiro dali. O professor vem correndo com uma caixa de lenços de papel. O corte não é profundo, e eu balanço a cabeça em negativa quando ele pergunta se quero ir para a enfermaria. Ele lava o meu cinzel na pia e joga água sanitária nele. Algum tipo de norma contra AIDS. Quando o objeto está sem germes e seco, o prof. Freeman faz menção de vir até a minha mesa, mas então para na frente da tela. Ele ainda não acabou a pintura. O canto inferior do lado direito está vazio. As faces dos prisioneiros são ameaçadoras — você não consegue desgrudar os olhos delas. Eu é que não ia querer um quadro como esse pendurado em cima do meu sofá. A impressão que se tem é que ele vai adquirir vida durante a noite.

O professor dá um passo para trás, como se tivesse de ver alguma coisa nova no quadro. Então corta a tela com o meu cinzel, destruindo-a com um longo rasgão que deixa a turma inteira boquiaberta.

MEU BOLETIM

Participação	D	Estudos Sociais	D	Espanhol	C-
Almoço	C	Biologia	B	Álgebra	C-
Traje	C-	Inglês	C-	Ed. Física	C-
Artes A					

A MORTE DO VOMBATE

O Vombate está morto. Sem reunião dos alunos, sem votação. Logo pela manhã o Diretor Diretor anunciou a decisão. Justificou que vespas representavam melhor o espírito do Merryweather do que marsupiais estrangeiros e, além disso, que a fantasia da mascote Vombate ia tirar dinheiro do orçamento do comitê da festa de formatura. Somos as Vespas e ponto final.

Os alunos do último ano apoiaram totalmente a decisão. Eles não iam conseguir andar de cabeça erguida se a festa de formatura não rolasse mais no salão do hotel Holiday Inn e sim no ginásio do colégio. Isso seria coisa de pirralhada do ensino fundamental.

As nossas cheerleaders estão bolando umas canções irritantes, que terminam com um zumbido danado. Acho que é um baita erro. Posso até imaginar a galera dos times adversários segurando mata-moscas e frascos gigantes de inseticida, de papel machê, para humilhar a gente no intervalo das partidas.

Eu sou alérgica a vespas. Basta uma picada para a minha pele ficar toda empolada e a minha garganta fechar.

INVERNO E ÔNIBUS

Perdi o ônibus porque não pude acreditar no breu que estava lá fora, quando o despertador tocou. Preciso de um relógio que ligue uma lâmpada de 300 watts na hora de levantar. Ou disso, ou de um galo.

Assim que me dou conta de que perdi a hora, resolvo não me apressar. Por que me dar a esse trabalho? Quando minha mãe desce, estou lendo os quadrinhos e tomando mingau de aveia.

Minha mãe: — Perdeu o ônibus de novo.

Faço que sim.

Minha mãe: — E está esperando que eu te dê uma carona outra vez.

Faço que sim de novo.

Minha mãe: — Melhor você calçar botas, viu? É uma longa caminhada, e nevou ontem à noite. Eu já estou atrasada.

O que foi inesperado, mas até que não muito cruel. A caminhada não é tão ruim assim — não foi como se ela tivesse me obrigado a caminhar dez quilômetros montanha acima, no meio de uma nevasca, com ventos soprando de todos os lados. As ruas estão tranquilas e bonitas. A neve cobriu a lama de ontem e acumulou nos telhados, como açúcar pulverizado numa cidade feita de rocambole.

Quando finalmente chego à Fayette's, a padaria da cidade, já estou faminta de novo. Eles fazem uns sonhos com recheio de geleia de dar água na boca, e estou com grana para lanche no bolso. Decido comprar dois e chamar isso de café reforçado.

Bem na hora em que vou atravessando o estacionamento, O TROÇO sai da padaria. Andy Evans segurando um sonho com geleia de framboesa escorrendo numa das mãos e um copo descartável de café na outra. Eu paro numa poça congelada. Talvez ele não me veja se eu não me mover. É assim que os coelhos sobrevivem, ficam paralisados na presença dos predadores.

Ele coloca o copo em cima do carro e fica procurando as chaves no bolso da calça. Coisa bem de adulto mesmo, essa história de comprar-café/catar-as-chaves-do-carro/matar-aula. Ele deixa as chaves caírem e pragueja. Nem vai notar a minha presença. Eu não estou aqui — ele não vai me ver com a minha jaqueta marshmallow roxa.

Mas é claro que não tenho a menor sorte com esse sujeito. Ele vira a cabeça e me vê. E dá um sorriso de lobo mau, mostrando ah vovó que dentes enormes você tem...

Aí dá um passo na minha direção, o sonho na mão. — Quer um pedaço? — pergunta.

A coelhinha foge em disparada, deixando rastros ligeiros na neve. Fugir fugir fugir. Por que é que não corri desse jeito quando era uma garota-falante-não-despedaçada?

Correr me dá a sensação de ter onze anos e ser rápida. Eu derreto uma trilha na calçada, fundindo neve e gelo e formando camadas laterais de um metro. Quando paro, um pensamento novinho em folha me atinge como uma explosão:

Para que ir ao colégio?

FUGA

A primeira hora depois de matar aula é tudo de bom. Ninguém fica me dizendo o que fazer, o que ler, o que falar. É como se a gente estivesse num clipe da MTV — não com as roupas ridículas, mas com aquela atchitudi aê de quem tem ginga e só-faz-o-que-dá-na-telha-tá-ligado?

Fico zanzando pela rua principal. Salão de beleza, loja de conveniência, banco, papelaria. O letreiro rotativo do banco avisa que está fazendo cinco graus abaixo de zero. Atravesso a rua. Loja de eletrodomésticos, casa de ferragens, estacionamento, supermercado. As minhas entranhas congelaram, de tanto respirar ar gelado. Sinto até os pelinhos do nariz estalarem. Meu andar empertigado vira uma caminhada desleixada, de passo arrastado. Chego até a pensar em subir a duras penas a colina até o colégio. Pelo menos está quentinho lá dentro.

Aposto que a galera do sul se diverte muito mais quando mata aula do que a que vive na parte central do estado de Nova York. Nada de gelo derretido. Nada de neve amarelada.

Sou salva por um ônibus da empresa Centro. Ele ronca, engasga e cospe duas velhinhas na frente do supermercado. Eu subo. Destino: O Shopping.

Ninguém nunca imagina que o shopping possa estar fechado. É para ele estar lá, que nem leite na geladeira ou Deus. Mas está acabando de abrir quando salto do ônibus. Gerentes de loja penam para lidar a um só tempo com os molhos de chaves e os cafés extragrandes, quando as grades sobem a toda velocidade no ar. As luzes cintilam, as águas das fontes saltitam, a música toca atrás das samambaias gigantes e o shopping está aberto.

Vovôs e vovós de cabelos brancos fazem aquela caminhada matinal acelerada, arrasta-chia, indo tão rápido que nem olham as vitrines. Fico procurando as roupas da primavera — nada que servia no ano passado serve em mim agora. Como é que eu posso fazer compras com a minha mãe se não quero conversar com ela? Na certa isso a deixaria amarradona — não há como negar. Mas eu teria que usar tudo o que ela escolhesse. Dilema — uma palavra que vale três pontos em Vocabulário.

Eu me sento perto do elevador central, onde eles costumam montar a Oficina do Papai Noel depois do Halloween. O ambiente cheira a batata frita e desinfetante. O sol, pela claraboia, está quente como se fosse de verão, e eu vou tirando uma camada após a outra — jaqueta, gorro, luva, suéter. Perco três quilos em meio minuto e fico com a sensação de que poderia flutuar junto ao elevador. Passarinhos marrons cantam no alto. Ninguém sabe como eles entraram, mas vivem no shopping e piam que é uma beleza. Eu deito no banco e fico observando as aves voarem e darem voltas no ar quente, até o sol ficar tão brilhante que começo a temer que corroa meus globos oculares.

Eu deveria, talvez, contar para alguém, simplesmente contar para alguém. Dar um basta nisso. Desabafar, soltar o verbo, pôr para fora o que aconteceu.

Eu queria voltar para a quinta série de novo. *Isso sim*, é um segredo sombrio, quase tão grande quanto o outro. A quinta série foi moleza — eu tinha idade suficiente para brincar do lado de fora sem minha mãe, mas era muito pequena para sair do quarteirão. O tamanho de coleira perfeito.

Um segurança passa perto de mim. Examina as mulheres de cera na vitrine da Sears, então se vira e volta para o outro lado. Nem se dá ao trabalho de dar um sorrisinho falso, de perguntar "Você se perdeu?". Não estou mais na quinta série. Mas ele para de repente, para passar uma terceira vez, agora com o dedo no rádio. Será que ele ia me dedurar? Está na hora de achar um ponto de ônibus.

Como passo o resto do dia esperando dar 2:48 da tarde, o passeio não foi tão diferente assim do colégio. Eu me dou conta de que aprendi uma boa lição, e acerto o despertador para tocar bem cedo na manhã seguinte. Acordo na hora quatro dias seguidos, subo no ônibus quatro dias seguidos, e volto para casa depois do colégio. Tenho vontade de gritar. Acho que vou ter que tirar um dia de folga de vez em quando.

DECODIFICAÇÃO

Dona Juba andou comprando uns brincos novos. Um deles chega até os ombros. O outro tem uns sinos, que nem o que a Heather me deu no Natal. Acho que não vou poder mais usar os meus. Deviam baixar uma proibição legal.

É o mês de Nathaniel Hawthorne na aula de inglês. Pobre Nathaniel. Será que sabe o que foi que fizeram com ele? Estamos lendo *A Letra Escarlate*, frase por frase, fazendo picadinho e chupando os ossos.

Tudo tem a ver com o SIMBOLISMO, diz a Dona Juba. Cada palavra escolhida por Nathaniel, cada vírgula, cada novo parágrafo — tudo foi feito de propósito. Para conseguir uma nota razoável na aula dela, temos que descobrir o que esse autor realmente quis dizer. Por que ele não podia simplesmente dizer o que queria, ora? Será que iriam alfinetar umas letras escarlates na camisa dele? D de direto, F de franco?

Eu não posso chiar muito não. Pois isso tem até um lado legal. Tipo um código, entrar à força na mente dele e achar a solução dos segredos. Como toda a questão da culpa. Claro que você saca que o clérigo se sente culpado e que a Hester também se sente culpada, mas o Nathaniel quer que a gente perceba como isso é importante. Se ele ficasse repetindo: "Ela se sente culpada, ela se sente culpada, ela se sente culpada", o livro ficaria um saco e ninguém ia comprá-lo. Então, o autor recorreu a SÍMBOLOS, tipo o clima, e às paradas da luz e da escuridão, para mostrar como a coitada da Hester estava arrasada.

Fico me perguntando se a Hester tentou dizer não. Ela é meio caladona. A gente se daria bem. Posso até imaginar nós duas morando na floresta, ela com aquela letra A, eu com um E, talvez, E de emudecida, de estupefata, de espantada. E de estúpida. De envergonhada.

Então, a parte de decodificação foi legal na primeira lição, mas um pouco já era mais que suficiente. Agora a professora está martelando tanto o assunto, que vai acabar com ele!

Dona Juba: — A descrição da casa com cacos de vidro nas paredes: o que quer dizer?

Silêncio total na sala. Uma mosca, que está ali desde o outono, zumbe à janela gelada. A porta de um armário bate com força no corredor. A Dona Juba responde à própria pergunta.

— Imaginem como seria isso, uma parede com cacos de vidro. Ela... provocaria reflexos? Cintilaria? Brilharia nos dias ensolarados, talvez? Vamos, pessoal, eu não deveria ter que fazer isso sozinha. Cacos de vidro na parede. Hoje em dia, colocam cacos em cima dos muros dos presídios. Hawthorne está nos mostrando que a casa é uma prisão ou um lugar perigoso, talvez. É perturbador. Bem, mas eu pedi que *vocês* procurassem exemplos do uso de cores. Quem pode me indicar algumas páginas em que elas são descritas?

A mosca dá um último zumbido de despedida e morre.

A Rachel/Rachelle, minha ex-melhor amiga: — E quem é que dá a mínima para o significado da cor? Como você sabe o que ele quis dizer? O cara deixou, tipo assim, algum outro livro chamado O *Simbolismo nos meus Livros*? Se não deixou, de repente você pode estar inventando tudo isso. Alguém realmente acha que o sujeito sentou pra escrever, e meteu um monte de significados ocultos na história? É só uma história, gente.

Dona Juba: — Este é Hawthorne, um dos maiores romancistas norte-americanos! Ele não fazia nada por acaso, era um gênio.

Rachel/Rachelle: — Eu achei que a gente tinha que dar opinião aqui. Eu acho que, tipo, é meio difícil ler, mas a parte que a Hester se mete na maior roubada e o tal clérigo quase escapa na boa é bem legal. Mas, pra mim, você tá inventando todo esse papo de simbolismo. Eu não levo fé nesse troço, não.

Dona Juba: — Por acaso você diz ao seu professor de matemática que não acredita que três vezes quatro é igual a doze? Bem, o simbolismo de Hawthorne é igual a multiplicação: quando você começa a entendê-lo, tudo fica claro como água.

Toca o sinal. A professora se coloca na frente da porta para passar o dever de casa. Uma redação de duas páginas sobre o simbolismo e como encontrar os significados ocultos em Hawthorne. A turma inteira zoa a Rachel/Rachelle no corredor.

Quem mandou abrir a boca?

TOLHIDO

O prof. Freeman descobriu uma nova forma de contornar a situação com os superiores. Pintou o nome de todos os seus alunos numa das paredes da sala, fez uma coluna para cada semana restante de aula. Então toda semana ele avalia o nosso progresso e faz uma observação na parede. Chama a isso de compromisso necessário.

Do lado do meu nome ele pintou um ponto de interrogação. A minha árvore está congelada. Uma criancinha de jardim de infância entalharia uma árvore melhor. Já perdi a conta de quantas placas de linóleo estraguei. O prof. Freeman reservou todas as restantes para mim. É bom mesmo. Estou louca para tentar um tema diferente, alguma coisa fácil, tipo desenhar uma cidade inteira ou copiar a Mona Lisa, mas ele não dá o braço a torcer. Sugeriu que eu tentasse uma forma de expressão diferente, então usei tinta guache roxa, para pintar com os dedos, o que gelou as minhas mãos, mas não acrescentou nada à minha árvore. Árvores.

Pego na estante um livro de paisagens com ilustrações de cada porcaria de árvore que existe: sicômoro, tília, álamo, salgueiro, pinheiro, tulipeiro, castanheiro, olmo, abeto. Suas cascas, flores, galhos, folhas, nozes. Eu me sinto uma silvicultora, mas não consigo fazer o que preciso. A última vez que o prof. Freeman me disse alguma coisa positiva foi quando fiz aquele treco idiota de ossos de peru.

O professor tem tido que enfrentar os próprios problemas. Na maior parte do tempo fica sentado em seu banco, olhando fixamente para uma nova tela. Está pintada de uma cor só, de um azul tão escuro que quase parece preto. Não se vê nenhum jogo de luz nela, nem saindo nem entrando na tela, e não há sombra sem luz. A Ivy pergunta para o prof. Freeman o que é aquilo. Ele sai do torpor melancólico e a olha como se só naquele momento tivesse se dado conta da sala cheia de alunos.

Prof. Freeman: — É Veneza à noite, a cor da alma de um contador, um amor não correspondido. Quando morei em Boston, deixei uma laranja criar um mofo dessa cor. É o sangue dos imbecis. Confusão. Conformismo. O interior de uma fechadura, o gosto de ferro. Desespero. Uma cidade com as luzes de rua apagadas a tiros. O pulmão de um fumante. Os cabelos de uma garotinha que cresce sem esperança. O coração do diretor de um conselho escolar...

Ele está apenas se aquecendo para fazer um discurso bombástico, mas aí toca o sinal. Alguns professores comentam aos sussurros que o prof. Freeman está tendo um colapso nervoso. Eu acho que ele é a pessoa mais sã que conheço.

ALMOÇO DESASTROSO

Nunca nada de bom acontece no almoço. O refeitório é um palco acústico enorme no qual filmam diariamente trechos de Rituais de Humilhação de Adolescentes. E cheira mal a rodo.

Eu me sento com a Heather, pra variar, mas estamos sozinhas num canto perto do pátio, não perto das Marthas. Ela se senta de costas para o restante do refeitório. Pode assistir ao vento ir deslocando os montículos de neve formados no pátio atrás de mim. Sinto o vento se infiltrar pelo vidro e penetrar a minha blusa.

Não estou prestando lá muita atenção enquanto a Heather deixa escapar uns "rã-rãns", prestes a desembuchar o que está matutando. O barulho de quatrocentas bocas mastigando nos afasta. O ruído de fundo provocado pela trepidação das lava-louças, o som abafado de avisos ditos de um jeito que ninguém consegue entender — é um vespeiro, o paraíso das Vespas. Eu sou uma formiguinha encolhida perto da entrada, com o vento invernal às costas. Ponho um pouco de ervilha sobre o purê de batata.

A Heather está só beliscando o inhame e o seu pãozinho integral, e me ignorando enquanto come as minicenouras.

Heather:— Isso é tão constrangedor. Quer dizer, como é que a gente toca num assunto desses? Não importa o que... Não, não quero dizer isso. Enfim, a gente meio que se juntou no início do ano, quando eu era nova e não conhecia ninguém, e isso foi super, superlegal da sua parte, mas eu acho que está na hora da gente admitir que... nós... duas... somos... simplesmente... muito... diferentes.

Ela fica examinando o iogurte desnatado. Tento pensar em algo malicioso, maldoso e cruel. Não consigo.

Eu: —Você quer dizer que a gente não é mais amiga?

Heather: [sorrindo com a boca, mas não com os olhos] — A gente nunca chegou a ser amigas de verdade, chegou? Não é como se eu tivesse chegado a dormir na sua casa ou algo assim. A gente curte coisas diferentes. Eu tenho o meu trabalho de modelo, amo fazer compras...

Eu: — Eu gosto de fazer compras.

Heather: —Você não gosta de nada. É a garota mais baixo-astral que eu já conheci e, sinto muito por dizer isso, mas não é nada divertido passar o tempo contigo, e acho até que você precisa de ajuda profissional.

Até aquele exato momento, eu nunca tinha considerado a ideia de Heather como a minha única amiga verdadeira no mundo. Mas, agora, estou louca para ser sua companheira e amiga do peito, para sorrir e fofocar com ela. Quero que pinte as unhas dos meus pés.

Eu: — Fui a única pessoa que falou com você no primeiro dia de aula, e agora está me dispensando só porque estou meio deprimida? Não é para isso que servem as amigas, para se ajudar nos momentos difíceis?

Heather: — Eu sabia que você ia levar isso a mal. Você é tão esquisita, às vezes.

Semicerro os olhos para observar a parede de corações do outro lado do refeitório. Quem tem namorado pode gastar cinco dólares para que um coraçãozinho vermelho ou rosa com as iniciais do casal seja colocado no mural no Dia dos Namorados. Aquelas manchas avermelhadas colocadas em fundo azul parecem totalmente deslocadas. Os malhadores — perdão, os atletas — se sentam na frente dos corações para avaliar os novos namoros. Coitada da Heather. A Hallmark ainda não inventou um cartão para romper amizade com amiga.

Eu sei o que ela está pensando. Precisa fazer uma escolha: ou continua comigo e fica com fama de esquisitona que um dia pode sacar uma arma, ou se torna uma Martha — garota que tem boas notas, faz coisas legais e esquia bem. Qual eu escolheria?

Heather: — Quando você passar por essa fase A Vida É Um Saco, tenho certeza de que muita gente vai querer ser sua amiga. Mas acontece que não dá para matar aula e nem aparecer no colégio. Qual vai ser o próximo passo, andar com os viciados?

Eu: — Essa é a parte em que você tenta ser legal comigo?

Heather: — Você tem fama.

Eu: — De quê?

Heather: — Olhe, não vai dar mais para você almoçar comigo. Sinto muito. Ah, e não coma tanta batata frita. Dá espinha.

Ela junta com cuidado os restos de comida, num embrulhinho de papel-manteiga, e joga tudo no lixo. Aí, vai andando até a mesa das Marthas. As amigas se movem para o lado, a fim de abrir espaço para ela. Elas a cercam e a engolem inteira, e a Heather nem se vira para me olhar. Nem uma vez sequer.

CONJUGUE ISSO

Eu mato aula, tu matas aula, ele, ela, você mata aula. Nós matamos aula, eles, elas, vocês matam aula. Todos nós matamos aula. Eu não consigo dizer isso em espanhol, porque não fui à aula hoje. *Gracias a dios. Hasta luego.*

DE CORTAR OS CORAÇÕES

Quando descemos do ônibus no Dia dos Namorados, uma garota de cabelos quase brancos de tão louros começa a chorar. Escreveram "Eu te amo, Anjela!" com spray num montículo de neve ao lado do estacionamento. Fico sem saber se a Angela está chorando de felicidade ou de tristeza porque seu objeto de desejo é semianalfabeto. Seu queridinho a espera com uma rosa vermelha. Eles se beijam ali mesmo, na frente de todo mundo. Feliz Dia dos Namorados.

Isso me pegou de surpresa. Esse dia, no ensino fundamental, era um tremendo pesadelo, porque a gente tinha que dar cartões para todo mundo na sala, até mesmo para o garoto que espalhava cocô de cachorro no banheiro feminino. Aí a mãe representante de turma levava cupcakes com cobertura cor-de-rosa e a gente trocava aqueles caramelos em forma de coração, que dizem "Delícia" e "Todo meu!".

O feriado foi para a clandestinidade no ensino médio. Nada de festas. Nada de caixas de sapatos com recortes de corações vermelhos no seu Dia dos Namorados, junto com cartões românticos. Se você quisesse dizer para um cara que estava a fim dele, precisava usar muitos e muitos amigos, tipo "a Janet me disse para falar para você que o Steven me contou que o Dougie comentou que a Carol estava conversando com a April e deu a entender que o irmão da Sara, o Mark, tem um amigo chamado Tony que de repente está a fim de você. Qual é a boa de hoje?"

É mais fácil limpar os dentes com fio dental de arame farpado do que admitir que você gosta de alguém no ensino médio.

Sigo junto com a maré até o meu armário. Como todos nós estamos de coletes e jaquetas acolchoadas, acabamos colidindo e esbarrando como carrinhos bate-bate no parque de diversão. Noto uns envelopes presos com fita adesiva em alguns dos armários, mas nem paro para pensar no assunto, até encontrar um no meu. Diz "Melinda". Só pode ser uma piada. Alguém o colocou ali para me fazer de idiota. Dou uma espiada por sobre o ombro esquerdo, depois por sobre o direito, procurando um grupinho maldoso apontando para mim. Só vejo nucas.

E se este for real? E se for de um garoto? O meu coração para, hesita e aí recomeça a bater de novo. Não, o Andy não. Ele com certeza não faz o tipo romântico. Talvez o David Petrakis, Meu Parceiro de Laboratório. Ele fica me olhando quando acha que não estou vendo, com medo de que eu quebre algum equipamento ou desmaie outra vez. Às vezes dá um sorriso para mim, de um jeito ansioso, daquele tipo que se dá para um cachorro que pode morder. Tudo o que preciso fazer é abrir o envelope.

Não suporto isso. Passo pelo meu armário e vou direto para a aula de biologia.

A srta. Keen resolveu que seria uma ideia legal dar uma repassada no capítulo sobre aves e abelhas em homenagem ao Dia dos Namorados.* Nenhuma informação prática, claro, nada explicando por que os hormônios enlouquecem a pessoa, por que o seu rosto fica cheio de espinhas bem no dia da festa e como saber se alguém realmente lhe deixou um cartão do Dia dos Namorados no armário. Não, ela realmente dá uma aula para a gente sobre aves e abelhas. Bilhetinhos de amor e namoro são passados de mão em mão. O laboratório mais parece uma barraquinha de Correio do Amor. A srta. Keen desenha um ovo com um passarinho dentro.

O David Petrakis luta para ficar acordado. Será que ele gosta de mim? Eu o deixo nervoso. O cara acha que vou acabar fazendo com que a nota dele caia. Mas talvez esteja começando a curtir ficar ao meu lado. Será que eu quero que ele goste de mim? Roo a unha do polegar. Não. Só queria que alguém gostasse de mim. Queria um bilhetinho com um coração colado. Arranco demais o canto da unha e ela sangra. Aperto o dedo, e o sangue forma uma esfera perfeita antes de desmanchar e escorrer na palma da minha mão. O David me dá um lenço de papel. Eu o pressiono contra o corte. As células brancas de papel desaparecem à medida que as vermelhas as inundam. Não dói. Nada dói, exceto os sorrisinhos e os rubores que cruzam o laboratório a toda velocidade, como pequenos pardais.

---

* Alusão à expressão idiomática "the birds and the bees", eufemismo para os fatos do sexo empregado em diálogos com crianças. (N.T.)

Abro o meu caderno e escrevo algo para o David: "Obrigada!". Deslizo a folha até ele. O garoto engole em seco, o pomo de adão indo até a parte de baixo do pescoço e voltando para o lugar de novo. Ele escreve de volta: "De nada." E agora? Aperto mais o lenço, na mão, para me concentrar. No quadro-negro, o passarinho da srta. Keen nasce. Faço um desenho da professora como uma andorinha. O David sorri. Desenha um galho debaixo das patinhas dela e desliza o caderno para mim. Tento unir o ramo a uma árvore. Fica bem legal, melhor do que qualquer coisa que desenhei até agora. Toca o sinal, e a mão do David esbarra na minha quando ele pega os livros. Vou voando para a minha cadeira. Temo olhar para ele. E se o cara achar que já abri o cartão dele e o odeio, e que por isso eu não disse nada? Mas não tenho como fazer nenhum comentário porque o cartão pode ser uma brincadeira ou ter sido feito por algum outro admirador anônimo, que se perde em meio à confusão de alunos, armários e portas.

O meu armário. O cartão continua ali, um pedaço branco de esperança, com o meu nome. Rasgo o envelope e o abro. Um troço cai no meu pé. O cartão tem uma foto de dois ursinhos de pelúcia fofinhos, dividindo um pote de mel. Eu o abro. "Obrigada por entender. Você é um amor!" Está assinado com caneta roxa. "Boa sorte!!! Heather."

Eu me inclino para pegar o que tinha caído do cartão. Era o colar com símbolos de amizade, que eu tinha dado para ela durante um surto de insanidade às vésperas do Natal. Idiota idiota idiota. Como é que eu pude ser tão idiota? Sons de estalo reverberam no interior do meu corpo, as minhas costelas estão despencando sobre meus pulmões, o que explica por que não consigo respirar. Caminho desorientada pelo corredor, depois por outro e mais outro, até encontrar a minha própria porta, entrar e trancá-la, sem nem me dar ao trabalho de acender as luzes, só caindo e caindo um quilômetro encosta abaixo, até o fundo da minha poltrona marrom, de onde meto os dentes na parte branca macia do meu pulso e choro feito a bebezona que sou. Começo a me balançar, batendo a cabeça na parede de tijolo. Uma data especial meio esquecida descortinou cada corte, cada faca enfiada dentro de mim. Nada de Rachel, nada de Heather, nem mesmo um nerd bobo que gostaria da garota que acho que sou por dentro.

NOSSA SENHORA DA SALA DE ESPERA

Encontro o Hospital Nossa Senhora da Misericórdia por acaso. Cochilo no ônibus e perco o ponto do shopping. Vale a pena tentar o hospital. Quem sabe não aprendo umas lições pré-médicas para o David?

De um jeito meio doentio, eu adoro. Tem sala de espera em quase todos os andares. Como não quero chamar muito a atenção, fico me movimentando, consultando o relógio o tempo todo, tentando dar a impressão de que estou ali por algum motivo. Receio ser flagrada, mas as pessoas ao meu redor têm coisas mais importantes com que se preocupar. O hospital é o lugar perfeito para se ficar invisível, e a comida do refeitório é mais gostosa que a do colégio.

A pior sala de espera é a que fica no andar dos ataques cardíacos. Está cheia de mulheres de rostos tristes, revirando as alianças de casamento e olhando para as portas, esperando por um médico que lhes seja familiar. Uma delas está simplesmente aos prantos, sem se importar que completos estranhos observem o seu nariz pingar nem que seu choro seja ouvido assim que as pessoas saem do elevador. Soluços que são quase gritos. Eles me fazem estremecer. Pego uns exemplares da revista *People* e me mando dali.

A ala da maternidade é perigosa porque a galera lá está feliz. Eles me fazem perguntas, querem saber por quem espero, quando vai nascer o neném, e se é a minha mãe ou a minha irmã. Se eu quisesse que as pessoas me fizessem perguntas, teria ido para o colégio. Digo que preciso ligar para o meu pai e desapareço.

O refeitório é legal. Imenso. Cheio de gente uniformizada vestida de médico e enfermeira, com jeito de quem tem diploma universitário e bíper. Sempre achei que essa galera de hospital devia ser natureba, mas o pessoal aqui consome fast food como se o mundo fosse acabar amanhã. Pilhas enormes de nachos, cheeseburgers tão grandes quanto pratos, cheesecake de cereja, batatinha frita, tudo quanto é coisa gostosa. Uma atendente do refeitório, chamada Lola, fica parada sozinha perto do peixe ao vapor e da bandeja de cebola frita. Sinto tanta pena dela que peço o peixe. Também acrescento um prato de purê de batata com molho e um iogurte. Acho um lugar perto de uma mesa à qual estão sentados uns sujeitos de cabelos brancos, sérios, de cenhos franzidos, que usam palavras tão longas que fico surpresa por não engasgarem. Intelectual e solene. Legal ficar ao lado de pessoas que parecem saber o que fazem.

Depois do almoço vou até o quinto andar, para a ala de cirurgia geral; ali os parentes se concentram na TV. Eu me sento num canto, de onde posso ficar de olho na sala de enfermagem e, além dela, em alguns dos leitos. Pelo visto, é um lugar bacana para se ficar doente. Os médicos e as enfermeiras parecem competentes, e sorriem de vez em quando.

Um funcionário da lavanderia empurra um carrinho enorme com batas hospitalares verdes (daquele tipo que mostra o seu traseiro se você não ficar fechando as pontas atrás) para um depósito. Eu sigo o cara. Se alguém perguntar, estou procurando um bebedor. Ninguém pergunta. Pego uma bata. Fico a fim de colocá-la e de me meter debaixo da coberta branca cheia de bolinhas e dos lençóis da mesma cor numa daquelas camas altíssimas, muito-acima-do-chão, e dormir. Está cada vez mais difícil fazer isso em casa. Quanto tempo levaria para as enfermeiras se darem conta de que eu não deveria estar ali? Será que me deixariam descansar alguns dias? Um cara alto e musculoso empurra com velocidade uma maca com um paciente pelo corredor. Uma mulher caminha do lado dele, uma enfermeira. Não faço a menor ideia do que está errado com o paciente, mas ele está de olhos fechados, com um filete de sangue escorrendo pela atadura no pescoço.

Coloco a bata de volta no lugar. Não tem nada de errado comigo. Aquelas são pessoas realmente doentes, tão doentes que dá até para ver. Sigo para o elevador. O ônibus está a caminho.

FÚRIA DE TITÃS

Temos uma reunião com o Diretor Diretor. Alguém notou que andei faltando. E que não falo. Como concluem que estou mais para pirada do que para criminosa, convocam também a orientadora educacional.

Minha mãe retorce a boca, contendo as palavras que não quer dizer na frente de estranhos. Meu pai fica checando o bíper, torcendo para que alguém ligue.

Eu tomo água de um copo descartável. Se ele fosse de vidro, eu abriria a boca e o morderia. Crac-crac, crac-crac, engolir.

Eles querem que eu fale!

"Por que você não diz nada?" "Pelo amor de Deus, abra a boca!" "Quanta imaturidade, Melinda." "Diga algo." "Ao se recusar a colaborar, a maior prejudicada é você mesma." "Eu não sei por que ela está fazendo isso conosco."

O Diretor Diretor pigarreia alto e entra na discussão.

Diretor Diretor: — Todos concordamos que estamos aqui para ajudar. Vamos começar pelas notas. Não são o que esperávamos de você, Melissa.

Papai: — Melinda.

Diretor Diretor: — Melinda. No ano passado, você tirou B em todas as matérias, não apresentou problemas de comportamento, faltou pouquíssimas vezes. Mas as informações que ando recebendo... Bem, o que é que podemos dizer?

Mamãe: — Essa é a questão, a Melinda não *diz* nada! Não consigo fazer com que ela fale. Está muda.

Orientadora Educacional: — Eu acho que precisamos investigar a dinâmica familiar.

Mamãe: — Ela está nos manipulando, para chamar atenção.

Eu: [pensando] *Vocês me escutariam? Acreditariam em mim? Duvido.*

Papai: — Bom, alguma coisa está errada aqui. O que vocês fizeram com ela? Eu tinha uma filhinha meiga e adorável no ano passado, mas, quando ela vem para cá, se fecha, mata aula e suas notas vão descarga abaixo. Eu jogo golfe com o presidente do conselho escolar, sabia?

Mamãe: — Não nos importa quem você conhece, Jack. Temos que fazer Melinda falar.

Orientadora Educacional: — Estão enfrentando problemas conjugais?

Minha mãe responde usando uma linguagem nada condizente com uma dama. Meu pai sugere que a orientadora vá para aquele mundo subterrâneo, quente e assustador. A mulher fica quieta. Talvez ela entenda por que é que eu fico de bico calado. O Diretor Diretor se recosta na cadeira e esboça o desenho de uma vespa.

Tique-taque tique-taque tique-taque. Estou perdendo o horário da aula de estudo dirigido. Hora da soneca. Quantos dias faltam até a formatura? Não faço ideia. Preciso achar um calendário.

Meus pais pedem desculpas. Cantam um tema musical: "O que se há de fazer? O que se há de fazer? Somos só nós dois, e ela a sofrer... O quê, oh o que se há de fazer?"

No mundo da minha cabeça, o casal sobe na mesa do Diretor Diretor e começa a dar um show de sapateado. A luz de um holofote recai sobre eles. Outros cantores e dançarinos entram em cena, e a orientadora educacional dança empunhando uma bengala de lantejoulas. Dou uma risadinha.

Zum. De volta ao mundo deles.

Mamãe: — Você acha isso engraçado? Nós estamos falando do seu futuro, da sua vida, Melinda!

Papai: — Não sei de onde você tirou essa indolência, mas com certeza não foi lá de casa. Na certa por causa das más influências daqui.

O.E.: — Na verdade, a Melinda tem ótimas amigas. Eu a vi ajudando aquele grupo de garotas que fazem trabalho voluntário. Meg Harcutt, Emily Briggs, Siobhan Falon...

Diretor Diretor: [Para de desenhar] — Ótimas jovens. Vêm de boas famílias. — Ele olha para mim pela primeira vez e inclina a cabeça para o lado. — São suas amigas?

Será que eles optaram pela idiotice? Ou será que já nasceram idiotizados assim? Eu não tenho amigas. Não tenho nada. Não digo nada. Não sou nada. Eu me pergunto quanto tempo leva uma viagem de ônibus até uma cidade quente no sul.

PERDA

Período Extraordinário de Reforço Disciplinar e Acadêmico. Esta é a minha Consequência. Está no meu contrato. É verdade que dizem que não se deve assinar nada sem cuidadosamente ler o conteúdo. E que melhor ainda seria pagar um advogado para ler o conteúdo com cuidado.

A orientadora educacional bolou o contrato depois da nossa aconchegante reunião na sala do diretor. Aí incluiu um montão de coisas que não posso fazer e as consequências que vou sofrer se fizer. Como as consequências por infrações leves, tipo chegar atrasada na aula ou não participar, eram ridículas — queriam que eu fizesse uma redação —, matei outro dia de aula e bingo!, ganhei uma ida à sala da PERDA.

É uma sala de aula pintada de branco, com cadeiras desconfortáveis e uma lâmpada que zumbe feito uma colmeia zangada. Os presidiários da PERDA são obrigados a ficar sentados, olhando para as paredes vazias. Isso deveria nos entediar a ponto de nos fazer ceder ou nos preparar para um manicômio.

O nosso cão de guarda hoje é o Mister Pescoço. Ele arreganha os dentes e rosna para mim. Acho que isso faz parte do castigo dele por causa daquela baboseira preconceituosa que ele vomitou na aula. Tem mais dois condenados comigo. Um tem uma cruz tatuada na cabeça raspada. Ele está sentado como um monolito, aguardando um cinzel para poder se libertar do mármore. O outro cara parece totalmente normal. Tudo bem que as roupas são meio esquisitas, mas esse é um delito leve, não grave. Quando o Mister Pescoço se levanta para saudar um aluno que acaba de chegar, o rapaz de aparência comum me diz que adora provocar incêndios.

O nosso último companheiro é o Andy Evans. O meu café da manhã vira ácido sulfúrico. O cara sorri para o Mister Pescoço e se senta perto de mim.

Mister Pescoço: — Matando aula de novo, Andy?

Andy Monstro: — Não, senhor. Um dos seus colegas acha que eu tenho dificuldade de lidar com autoridade. Dá para acreditar?

Mister Pescoço: — Chega de conversa.

Sou uma coelhinha de novo, escondida em pleno ar livre. Eu me sento como se tivesse um ovo na boca. Um movimento, uma palavra, e ele vai quebrar e explodir o mundo.

Estou ficando meio pirada da cabeça.

Quando o Mister Pescoço não está olhando, Andy dá um sopro na minha orelha.

Eu quero matar ele.

PICASSO

Não consigo produzir nada, nem mesmo na aula de artes. O prof. Freeman, ele próprio um profissional na arte de ficar olhando fixamente pela janela, pensa que sabe o que está errado. — A imaginação de vocês anda paralisada — declara ele. — Precisam fazer uma viagem. — Ouvidos acordam para prestar atenção, e alguém abaixa o volume do rádio. Uma viagem? Ele está planejando fazer uma? — Vocês têm que inspecionar a mente de um dos Mestres — prossegue o professor. Os papéis suavemente esvoaçam com os suspiros dos alunos. O volume do rádio aumenta de novo.

O prof. Freeman empurra para o lado o meu lastimável bloco de linóleo e coloca no lugar, com delicadeza, um livro enorme. — Picasso — sussurra, como um padre. — Picasso. Que viu a verdade. Que pintou a verdade e a moldou, arrancando-a da terra com mãos furiosas. — O professor faz uma pausa. — Acho que estou me deixando levar pela emoção. — Balanço a cabeça. — Observem Picasso — ordena ele. — Não posso fazer tudo por vocês, pois devem trilhar sozinhos o caminho em busca da alma.

Blá-blá-blá, tá legal. Olhar aquelas pinturas é melhor que ficar assistindo a neve cair. Abro o livro.

O Picasso se amarrava numa mulher nua. Por que não desenhá-las de roupa, hein? Quem é que fica por aí sentada sem blusa, dedilhando um bandolim? Por que não desenhar uns caras nus, só para dar uma equilibrada? Aposto como mulher nua é arte, e homem pelado não pode não. Na certa porque a maioria dos pintores é do sexo masculino.

Não gosto dos primeiros capítulos. Além de toda a mulherada pelada, ele fez um monte de quadros azuis, como se tivesse ficado sem verde e vermelho semanas a fio. Pintou alguns personagens de circo e dançarinas, que parecem estar em cima de fumaça. Ele deveria tê-las feito tossindo.

O capítulo seguinte me tira o fôlego. E me tira da sala. Ele me deixa desconcertada, enquanto um cantinho do meu cérebro fica saltitando, gritando: "Saquei! Saquei!" Cubismo. Vendo além das aparências. Deslocando os dois olhos e um nariz para a lateral do rosto. Cortando corpos, mesas e violões em cubos, como se fossem talos de aipo, e reorganizando-os para que você tivesse que vê-los de verdade para vê-los. Incrível. Como será que o mundo parecia para ele?

Eu queria que Picasso tivesse feito o ensino médio no Merryweather. Aposto que nós dois poderíamos ter andado juntos. Procuro no livro todo e não vejo nenhum desenho de árvore. Por que é que eu tive que ficar presa a essa ideia tão idiota? Esboço uma árvore cubista, com centenas de retângulos fininhos como galhos. Eles parecem armários, caixas, cacos de vidro, lábios com folhas triangulares marrons. Coloco o desenho na mesa do prof. Freeman. — Isso aí, agora você está chegando lá — comenta o professor, fazendo um sinal de aprovação com o polegar voltado para cima.

SENTADA NO BANCO DA FRENTE

Eu me comporto como uma boa menina. Vou a todas as aulas durante uma semana. É legal ficar sabendo sobre o que os professores estão falando de novo. Os meus pais recebem a notícia, saída do forno, da orientadora educacional. Não sabem direito como reagir — se têm que ficar felizes porque estou me comportando ou ainda mais bravos por terem que se dar por satisfeitos com algo tão básico quanto uma filha indo para o colégio todos os dias.

A orientadora educacional convence os dois de que preciso de uma recompensa — um brinquedinho de morder ou um troço assim. Os meus pais resolvem me dar umas roupas novas. Tudo o que eu tenho está ficando apertado.

Mas, fazer compras com a minha mãe? Melhor me matar logo e acabar de vez com o sofrimento. Tudo menos ir ao shopping com ela. Minha mãe odeia fazer compras comigo. Quando a gente vai ela marcha indignada na minha frente, toda empertigada, piscando nervosamente porque não estou a fim de provar as roupas práticas e estilosas que ela curte. Minha mãe é o rochedo, eu, o oceano. Tenho que fazer beicinho e revirar os olhos por horas a fio até ela finalmente se cansar e se despedaçar em milhares de grãozinhos de areia. Isso requer uma energia tremenda. Acho que não estou em condições de lidar com isso agora.

Porém, ao que tudo indica, ela também não está a fim de atuar no espetáculo *Água Mole Em Pedra Dura...* Quando eles anunciam que ganhei as roupas novas, dizem que, entretanto, vou ter que escolhê-las na Effert's, para que minha mãe possa usar seu cartão fidelidade e ganhar descontos. Tenho que pegar o ônibus depois do colégio e ir encontrá-la direto na loja. De certa forma, fico feliz. Entrar, comprar, sair, é simples como arrancar um Band-Aid.

Parece que é uma boa ideia, até eu ficar parada no ponto de ônibus na frente do colégio, enquanto uma tempestade de neve assola a cidade. A sensação térmica deve ser de trinta graus abaixo de zero, e estou sem gorro e sem luvas. Tento ficar de costas para o vento, mas o meu traseiro congela. Ficar de frente é impossível. A neve penetra por debaixo das minhas pálpebras e acumula nas minhas orelhas. Por isso não escuto o carro encostar perto de mim. Quando a buzina toca, quase morro de susto. É o prof. Freeman. — Quer uma carona?

Fico chocada com o carro dele. É um Volvo azul, um carrão sueco superseguro. Eu o imaginava dirigindo uma Kombi. E o interior está todo organizado. Eu imaginava artigos sobre arte, pôsteres e frutas estragadas para tudo quanto era lado. Quando entro, escuto uma música clássica tocando baixinho. Caramba, uma surpresa atrás da outra.

Ele diz que pode me deixar na cidade, pois só teria que desviar um pouquinho do seu caminho. E que adoraria conhecer a minha mãe. Arregalo os olhos, apavorada. — Melhor não — desiste o professor. Sacudo a neve, que começa a derreter, da cabeça e coloco as mãos na frente da saída do aquecedor. Ele gira o botão para o máximo.

Enquanto descongelo, fico contando os marcos quilométricos na lateral da estrada e vendo se tem algum animal atropelado. A gente vê muitos cervos mortos nos subúrbios residenciais fora da cidade. Tem vezes que os mais necessitados os levam para comer a carne durante o inverno, mas quase sempre as carcaças apodrecem até as peles ficarem penduradas como fitas sobre os ossos. A gente segue para oeste, rumo à cidade grande.

— Você fez um bom trabalho com aquele desenho cubista — comenta o prof. Freeman. Fico sem saber o que dizer. A gente passa por um cachorro morto, sem coleira. — Vejo que você tem progredido bastante. Está aprendendo mais do que pensa.

Eu: — Não sei nada. As minhas árvores são horrorosas.

O professor liga a seta, olha pelo espelho retrovisor, vai até a faixa da esquerda e ultrapassa um caminhão de cerveja. — Não seja tão rígida consigo mesma. Cometer erros e aprender com eles faz parte da arte. — Ele volta para a faixa direita.

Observo o caminhão de cerveja desaparecer em meio à nevasca pelo retrovisor lateral. Um lado meu acha que talvez ele esteja dirigindo meio rápido demais, considerando toda aquela neve, mas o carro é pesadão e não derrapa. O gelo que se acumulou nas minhas meias começa a derreter e molhar meu tênis.

Eu: — Tudo bem, mas você disse que a gente tinha que colocar emoção na nossa arte. Não sei o que isso significa. Não sei o que devo sentir. — Levanto os dedos depressa e cubro a boca. O que é que eu estou fazendo?

Prof. Freeman: — A arte sem emoção é como um bolo de chocolate sem açúcar. Deixa a gente nauseado. — Ele mete o dedo na garganta. — Da próxima vez que for trabalhar com as suas árvores, não pense nelas. Pense em amor ou ódio, ou em alegria, ou em raiva; o que quer que a faça sentir algo, que leve as palmas de suas mãos a suarem ou os dedos de seus pés a se crisparem. Concentre-se nesse sentimento. Quando as pessoas não se expressam, vão morrendo aos poucos. Você ficaria chocada se soubesse quantos adultos estão realmente mortos por dentro, vivendo sem ter ideia de quem são, só esperando que um câncer, um infarto ou um caminhão surja e acabe com eles. É a coisa mais triste que conheço.

Ele pega a saída da estrada e para no sinal, no final da rampa. Um bicho pequeno, peludo e morto está encolhido perto da galeria de águas pluviais. Arranco e mastigo uma pelinha do canto da unha do polegar. A placa da Effert's cintila no meio do quarteirão. — É ali, ó — aviso. — Pode me deixar na frente.

— Permanecemos sentados por um instante, a neve escondendo o outro lado da rua, um solo de violoncelo ressoando do alto-falante. — Hum... obrigada. — De nada — responde o professor. — Se precisar conversar, sabe onde me encontrar. Tiro o cinto de segurança e abro a porta.

— Melinda — diz o prof. Freeman. A neve penetra lentamente no carro e derrete no painel. — Você é uma boa menina. Acho que tem muito a dizer. E eu gostaria de ouvir.

Fecho a porta.

ESPELHO ESPELHO MEU

Eu paro na sala da gerência, e a secretária informa que a minha mãe está no telefone. Menos mal. Vai ser mais fácil achar um jeans sem ela por perto. Eu me dirijo à seção de "Mocinhas" da loja. (Mais um motivo para eles não conseguirem ganhar dinheiro. Quem é que quer ser chamada de mocinha?)

Procuro um tamanho 44, por mais que odeie ter que admitir isso. Tudo o que tenho é tamanho 42 ou menor. Olho para os meus pés enormes e para os meus feiosos ossos do tarso. Garotas da minha idade já não deveriam ter parado de crescer?

Quando eu estava na sexta série, minha mãe me deu um monte de livros sobre puberdade e adolescência, para que eu pudesse apreciar a transformação "bela", "natural" e "milagrosa" pela qual passava. Um monte de baboseiras, isso sim. Ela reclama o tempo todo dos cabelos cada vez mais brancos, do bumbum que está caindo e do rosto cada vez mais enrugado, mas eu deveria me sentir feliz e satisfeita com a face cheia de espinhas, pelos nuns lugares bem constrangedores e pés que crescem dois centímetros por noite. Fala sério.

Não importa o que eu experimente, já sei que vou odiar. A Effert's é líder do mercado de roupas nada fashion. Do tipo que as avós compram para presentear a gente no aniversário. É o cemitério da moda. Seja prática e encontre um jeans que sirva, digo para mim mesma. Unzinho que seja — esse é o objetivo. Olho ao redor. Nada da minha mãe. Levo três dos menos bregas até o provador. Sou a única. O primeiro ficou apertadíssimo — não consigo nem passá-lo pelo traseiro. Não me dou ao trabalho de tentar o segundo, pois o tamanho é ainda menor. O terceiro fica imenso. Exatamente o que procuro.

Vou depressa até o espelho de três faces. Com uma camiseta GG por cima, não dá nem para dizer que é da Effert's. E nada ainda de minha mãe. Ajusto o espelho para poder ver os reflexos dos reflexos, quilômetros e quilômetros mostrando a minha pessoa e a minha calça nova. Prendo os cabelos atrás das orelhas. Eu deveria ter dado uma lavada neles hoje. O meu rosto está sujo. Eu me inclino e me aproximo do espelho. Olhos e mais olhos e ainda mais olhos me observam. Eu estou aí, em algum lugar? Milhares deles piscam. Nenhuma maquiagem. Olheiras. Aproximo mais as duas faces laterais, fechando-me na frente do espelho frontal e bloqueando a visão do resto da loja.

Meu rosto vira um esboço de Picasso, meu corpo se dividindo em cubos dissecantes. Vi um filme uma vez em que uma mulher teve oitenta por cento do corpo queimado e tiveram que tirar toda a pele morta. Então enfaixaram a moça, deram sedativos e ficaram esperando os enxertos cutâneos. Eles literalmente costuraram uma pele nova nela.

Pressiono a minha boca despedaçada no espelho. Milhares de lábios sangrentos e feridos me questionam também. Como será caminhar numa pele nova? Será que ela ficou sensível como um bebê ou dormente, sem terminações nervosas, simplesmente vivendo numa bolsa de pele? Solto o ar, e minha boca desaparece em meio ao vapor. Tenho a sensação de que minha pele foi queimada. A verdade é que estou tropeçando às cegas numa floresta de espinhos — meu pai e minha mãe se odeiam, a Rachel me detesta, a galera do colégio fica com ânsia de vômito quando me vê, como se eu fosse uma bola de pelos. E a Heather...

Só preciso mesmo aguentar as pontas pelo tempo necessário para a nova pele enxertar. O prof. Freeman acha que tenho que encontrar os meus sentimentos. E eu por acaso poderia deixar de encontrá-los? Eles estão me devorando viva, como uma infestação de pensamentos, vergonha, erros. Fecho os olhos com força. Uma calça que serve já é um bom começo. Preciso ficar longe do cubículo, frequentar todas as aulas. Vou me tornar normal. Esquecer tudo o mais.

GERMINAÇÃO

Terminamos o capítulo sobre plantas, em biologia. A srta. Keen deixa escapar um montão de dicas de que o teste vai focar em sementes. Eu estudo.

Como as sementes se espalham: até que isso é legal. Algumas plantas as lançam ao vento. Outras fazem as suas apetitosas o bastante para as aves as consumirem e as defecarem nos carros que passam. As plantas produzem muito mais sementes do que precisam, porque sabem que a vida não é perfeita e que nem todas vão germinar. Até que é uma coisa inteligente, quando você pensa no assunto. Antigamente as pessoas também faziam isso — tinham doze ou quinze filhos, porque sabiam que alguns morreriam, outros apodreceriam, e só uns poucos se tornariam fazendeiros trabalhadores e honestos. Que sabiam semear.

Do que as sementes precisam para germinar: elas são ineficientes. Se forem plantadas numa profundidade grande demais, não atingirão a temperatura correta na hora certa. Se forem colocadas muito perto da superfície, serão devoradas por aves. Se chover demais, vão se encher de fungos. Se não chover o bastante, secarão. E mesmo se conseguirem germinar, podem ser sufocadas por ervas daninhas, desenraizadas por cachorros, esmagadas por bolas de futebol ou asfixiadas pelos escapamentos dos carros.

É impressionante que sobrevivam.

Como as plantas crescem: rapidinho. A maioria germina rápido e morre jovem. As pessoas vivem setenta anos, um pé de feijão, quatro, talvez cinco meses. Assim que a plantinha começa a aparecer no solo, já produz folhas, para absorver mais calor. Então dorme, come e toma sol até ficar pronta para florescer — uma planta adolescente. Esse não é um bom momento para ser uma rosa, nem uma margarida, nem um cravo, porque as pessoas as atacam com tesouras e cortam a parte bonita. Mas as plantas são legais. Quando se colhe uma rosa, cresce outra no lugar. A roseira tem que florir para produzir mais sementes.

Vou gabaritar o teste.

EXÍLIO DA MORTADELA

A minha estratégia no refeitório mudou, já que não tenho amigos neste universo conhecido. Para começar, não entro em nenhuma fila, para evitar aquele momento de vulnerabilidade em que se vai para as mesas e todo mundo ergue a cabeça e vai logo rotulando: amiga, inimiga ou fracassada.

Então, recorro ao saquinho de papel pardo. Precisei deixar um bilhete para a minha mãe, pedindo que ela comprasse uns, além de mortadela e sachês de molho de maçã. E ela ficou feliz da vida. Voltou do supermercado com todo tipo de besteiras que eu poderia levar para comer. Talvez eu devesse voltar a falar com Eles, um pouquinho que seja. Mas e se eu disser a coisa errada?

Essa sou eu, a garota mortadela.

Tento ler enquanto como sozinha, mas o barulho penetra entre os meus olhos e a página, e acabo não conseguindo ver a folha. Fico observando. Finjo que sou uma cientista examinando de fora, como a srta. Keen descreve os seus dias vendo os ratos se perderem nos labirintos.

As Marthas não parecem perdidas. Sentam-se juntas, com uma nova garota no meu antigo lugar — uma aluna do segundo ano que acabou de vir para cá, transferida de outro estado. A roupa dela tem uma porcentagem altíssima de poliéster. Ela vai precisar dar um jeito nisso rapidinho. As garotas ficam beliscando azeitonas e rodelas de cenoura, passando patê nuns biscoitos de trigo integral orgânico e dividindo pedacinhos de queijo de cabra. Meg "mais" Emily "mais" Heather tomam suco de caixinha de framboesa com damasco. Pena que eu não possa comprar ações dessa empresa de sucos — já dá para ver que essa moda vai pegar.

Será que elas estão falando de mim? Com certeza riem bastante. Dou uma mordida no meu sanduíche e ele regurgita mostarda na minha blusa. Talvez elas estejam planejando o Projeto seguinte. Podiam mandar umas bolas de neve para as criancinhas carentes-de-mau-tempo do Saara. Podiam tricotar uns cobertores de pelo de cabra para ovelhas tosadas. Tento imaginar a Heather daqui a dez anos, com dois filhos e trinta quilos mais gorda. Isso me serve um pouco de consolo.

A Rachel/Rachelle vai se sentar ao final da minha mesa com a Hana, a estudante de intercâmbio egípcia. Agora começou a se interessar pelo Islã. Usa um lenço na cabeça e pantalonas de odalisca em um tecido vermelho e marrom. Pensa que está em um harém. O traço preto que usa no contorno dos olhos é tão grosso quanto um lápis de cera. Tenho a impressão de que a pego me olhando, mas acho que me enganei. A Hana veio de jeans e camiseta da Gap. As duas estão comendo pão pita com homus e conversando em francês.

Aqui e acolá dá para ver uns fracassados como eu, espalhados entre os felizes adolescentes, peixes fora d'água. Os outros têm poder social suficiente para se sentar com os demais fracassados. Eu sou a única que senta sozinha, sob o letreiro luminoso que diz: "Ultramegaperdedora, lelezinha das ideias. Mantenha Distância. Não Alimente."

Vou até o banheiro virar a blusa ao contrário, as costas na frente, para que a mancha de mostarda fique escondida debaixo dos meus cabelos.

DIA DE NEVASCA – COLÉGIO, PRA VARIAR

Ontem à noite caíram vinte centímetros de neve. Em qualquer outra parte do país, isso significaria que seria declarado dia de nevasca. Mas não em Syracuse. A gente nunca conta com isso. Se caem três centímetros de neve na Carolina do Sul, tudo fecha e passa no noticiário das seis. Na nossa região, eles tiram a neve bem cedinho das ruas e colocam correntes antiderrapantes nos pneus dos ônibus.

Dona Juba conta para a gente que cancelaram uma semana inteirinha de aula nos anos 70 por causa da crise de energia. Fazia um frio de matar, e o custo para aquecer o colégio teria sido exorbitante. A professora parece estar nostálgica. Nostálgica — palavra que vale um ponto em Vocabulário. Ela assoa o nariz com força e chupa outra pastilha fedorenta para tosse. Lá fora, o vento sopra poderosas rajadas de neve contra a janela.

Bem que os nossos professores precisavam de um dia de nevasca. Estão com aparência para lá de abatida. Os homens não andam se barbeando com cuidado e as mulheres nunca tiram as botas. Pelo visto sofrem de algum tipo de gripe professoral. Os narizes escorrendo, as gargantas inflamadas, os olhos com os contornos avermelhados. Eles vão até o colégio e ficam por tempo o bastante para infectar a sala dos funcionários, aí voltam para casa, doentes, assim que os seus substitutos aparecem.

Dona Juba: — Hora de abrir os livros. Quem pode me dizer o que a neve simbolizava para Hawthorne?

Turma: "Lamentos, gemidos, resmungos."

Acho que o Hawthorne queria que a neve simbolizasse o frio. Frio e silêncio. Não há nada mais silencioso que a neve. O céu grita para liberá-la, uma centena de almas penadas esvoaçantes envoltas na nevasca. Mas, assim que a neve atinge o chão, silencia, natureza morta, como o meu coração.

IDIOTA IDIOTA

Entro disfarçadamente no meu cubículo depois da aula, porque não estou a fim de enfrentar a volta para casa num ônibus suarento e encarar um monte de bocas escancaradas, cheias de dentes risonhos, mastigando o meu oxigênio. Dou um oi para o meu pôster da Maya e para a minha árvore cubista. A minha escultura de ossos de peru tombou de novo. Eu a apoio na estante perto do espelho. Ela escorrega para baixo e fica na horizontal. Eu a deixo ali e me encolho toda na poltrona. Está quentinho no cubículo, e me dá vontade de tirar uma soneca. Ando tendo dificuldade para dormir em casa. Acordo ou porque as cobertas caíram no chão ou porque estou de pé diante da porta da cozinha, tentando sair. Eu me sinto segura no meu refúgio. Cochilo.

Acordo com o som de garotas urrando: "Ê-Ê-Ê A PORRADA VAI COMER! Ê-Ê-Ê..."

Por alguns instantes, acho que fui parar numa terra de gente totalmente insana, mas aí uma multidão grita. Está rolando um jogo de basquete, o último da temporada. Dou uma olhada no relógio: 8:45. Estou dormindo há horas. Pego a minha mochila e saio voando pelo corredor.

A bagunça do ginásio me atrai. Paro perto da porta para observar o último minuto do jogo. Os torcedores vão contando os segundos finais, como se fosse o Ano-Novo, e em seguida saem explosivamente da arquibancada como vespas furiosas ao som do apito final. A gente ganhou, derrotando os Panteras de Coatesville por 51 a 50. Cheerleaders aos prantos. Os técnicos se abraçam. Aquele entusiasmo me contagia, e começo a bater palmas feito uma garotinha.

Esse é o meu erro, achar que faço parte daquilo. Era para eu ter me mandado para casa na mesma hora. Mas não. Fico por ali. Quero fazer parte de tudo aquilo.

O David Petrakis abre caminho rumo às portas em meio a um grupo de amigos. Ele me pega olhando para ele e deixa a sua galera de lado.

David: — Melinda! Onde é que você estava sentada? Viu o último arremesso? Irado! Simplesmente i-na-cre-di-tá-vel! — Ele bate uma bola imaginária no chão, simula um drible e salta para arremessar. O David devia mesmo se concentrar nas violações dos direitos humanos. Fica tagarelando sem parar, uma bola perdida caindo morro abaixo. Do jeito que ele fala, parece até que acabaram de ganhar a final da NBA. Daí ele me convida para ir até a casa dele comer uma pizza, para comemorar.

David: —Vamos lá, Mel. Você tem que vir com a gente! O meu pai disse que eu podia levar quem eu quisesse. A gente pode deixar você em casa depois, se quiser. Vai ser divertido. Você ainda lembra de como é se divertir, né?

Não. Eu não vou a festas. Valeu, mas não. Penso numa lista de desculpas: dever de casa, pais rigorosos, prática de tuba, hora no dentista, dar comida para os javalis. O meu histórico de festas é péssimo.

O David nem se dá ao trabalho de analisar a minha hesitação. Se ele fosse uma garota, talvez tivesse implorado ou insistido mais. Os garotos simplesmente não fazem isso. Sim/não. Fique/vá. Você que sabe. Até segunda.

Acho que é algum tipo de problema psiquiátrico ter mais de uma personalidade. É o que sinto quando volto caminhando para casa. As duas Melindas brigam a cada passo. A Melinda Um está passada por não ter ido à confraternização.

Melinda Um: *"Acorda. Se liga. Era só uma pizza. Ele não ia tentar fazer nada. Os pais dele estariam lá! Você se preocupa demais. Não vai mais deixar a gente se divertir, vai? Na certa vai virar uma daquelas velhinhas neuróticas que têm cem gatos e chamam a polícia quando as crianças invadem o seu quintal. Insuportável!"*

A Melinda Dois espera a Um terminar o ataque de nervos. E observa com cuidado os arbustos ao longo da calçada, em busca de algum predador faminto ou algo ainda pior.

Melinda Dois: "O mundo é um lugar perigoso. Você não sabe o que poderia ter acontecido. Será mesmo que os pais estariam lá? Podia estar mentindo. Não dá para saber quando as pessoas mentem. Melhor pensar logo no pior. E se preparar para o desastre. Agora ande logo e leve a gente para casa. Eu não gosto nada deste lugar. Está escuro demais."

Se eu expulsasse a chutes as duas da minha cabeça, quem sobraria?

UMA NOITE INESQUECÍVEL

Não consigo dormir depois do jogo. De novo. Passo algumas horas sintonizando os programas noturnos mais esquisitos da rádio AM. Escuto bobagens do Canadá, um informe sobre fazendas, uma estação de música country. Saio engatinhando pela janela até o teto da varanda e me cubro com as minhas cobertas.

Uma semente branca e gorda dorme no céu.

A neve semilíquida congelou. As pessoas dizem que o inverno dura eternamente, mas é porque ficam obcecadas com o termômetro. Nas montanhas, ao norte, o xarope de bordo escorre em lentos filetes. Gansos corajosos quebram a camada fina de gelo deixada no lago. No subsolo, sementes moribundas se reviram, adormecidas. Estão só começando a se inquietar. Começando a sonhar verde.

A lua parecia mais próxima em agosto.

A Rachel levou a gente para a festa do final do verão, uma festa organizada pelas cheerleaders, com música, cerveja e alunos do último ano. Chantageou o irmão dela, o Jimmy, para que levasse a gente de carro. Todas nós íamos dormir na casa dela. A mãe achava que o filho estava levando a gente para patinar.

A festa foi numa fazenda a alguns quilômetros do nosso bairro. Os barris de cerveja estavam no celeiro, junto com as caixas de som. A maioria da galera se reuniu no limiar das luzes. As pessoas pareciam modelos de uma propaganda de jeans, magé-gé-gé-gé-gé-gérrimas, lábios carnudos, brincos grandes, dentes branquíssimos. Eu me senti uma tremenda pirralha.

A Rachel descobriu um jeito de se enturmar, claro. Conhecia muita gente por causa do Jimmy. Eu experimentei um gole de cerveja. Era pior que xarope para tosse. Mas aí tomei uma inteirinha. E outra e mais outra e, então, fiquei achando que ia vomitar. Daí me afastei da galera e fui até o bosque. A lua reluzia nas folhas. Eu podia ver as luzes, ao longe, como estrelas penduradas nos pinheiros. Ouvi alguém dar uma risadinha, escondido em meio à escuridão, e sussurros de um casalzinho. Não consegui ver ninguém.

Mas ouvi um passo atrás de mim. Um cara do último ano. E quando vi, ele estava conversando comigo, me paquerando. Um gato, tipo modelo de capa de revista. Tinha os cabelos bem mais bonitos que os meus, cada centímetro do corpo sarado e bronzeado, dentes brancos e sorriso perfeito. Dando em cima de mim! Cadê a Rachel — ela precisava ver o que estava rolando!

Deus Grego: — De onde é que você saiu? É gatinha demais para se esconder no escuro. Vem dançar comigo, vem.

Ele pegou a minha mão e me puxou para perto. Senti o cheiro de água-de-colônia, de cerveja e de algo mais, que não consegui identificar. Eu me encaixei perfeitamente no corpo dele, a cabeça na altura dos ombros. Como estava me sentindo meio zonza, apoiei a maçã do rosto no peito dele. Ele envolveu as minhas costas com um dos braços. Então deslizou a outra mão até o meu bumbum. Achei aquilo um pouco grosseiro, mas com a língua entorpecida por causa da cerveja, não consegui encontrar um jeito de dizer para ele ir mais devagar. A música era tudo de bom. Assim como entrar no ensino médio. Onde é que estava a Rachel? Ela precisava ver o que estava acontecendo!

O cara inclinou a minha cabeça na direção da dele. Aí me tascou o maior beijo, do tipo másculo, profundo, a um só tempo firme e suave. Um beijo que quase me enlouqueceu. E eu pensei, só por um instante, que tinha um namorado, que começaria o ensino médio namorando, e com um cara mais velho, forte e pronto para me proteger. Ele me beijou de novo. Mordia meus lábios com força. Era difícil até de respirar.

Uma nuvem escondeu a lua. As sombras pareciam negativos de fotografias.

— Tá a fim? — perguntou.

O que foi que ele disse? Não respondi. Não sabia. Emudeci.

A gente já estava no chão. Quando foi que isso aconteceu? "Não." Ã-Ã, não gostei disso. Eu estava no chão, e ele, em cima de mim. Balbucio algo sobre ir embora, sobre uma amiga que precisava de mim, sobre os meus pais se preocupando comigo. Posso me ouvir — estou murmurando coisas confusas, como uma bêbada desorientada. Os lábios dele prendem os meus, e nada consigo dizer. Giro a cabeça para me afastar. Ele é pesado demais. Tem um rochedo em cima de mim. Abro a boca para respirar, para gritar, mas a mão dele cobre os meus lábios. Na minha cabeça, a minha voz é perfeitamente clara: "NÃO, EU NÃO QUERO!" Impossível cuspir as palavras. Ainda estou tentando lembrar como fomos parar no chão e para onde a lua foi e zás!, blusa pra cima, shorts pra baixo, o solo está escuro e cheirando a umidade e NÃO!... Eu não estou realmente aqui, com certeza estou de novo na casa da Rachel, fazendo cachos nos cabelos e colocando unhas postiças, e ele cheira a cerveja e é sacana e me machuca me machuca me machuca e se levanta

e fecha o zíper da calça

e sorri.

O que eu vi em seguida foi o telefone. Parada no meio de uma galera embriagada, liguei para a polícia porque precisava de ajuda. Todas aquelas visitas do Policial Amigo na segunda série do fundamental surtiram efeito. Uma mulher atendeu à ligação, "Polícia, como posso ajudar", mas então vi o reflexo do meu rosto na janela em cima da pia da cozinha e nenhuma palavra saiu da minha boca. Quem era aquela garota? Eu nunca a tinha visto antes. As lágrimas escorriam pelo meu rosto, sobre os lábios inchados, formando uma poça no fone. "Não tem problema", disse a moça simpática na linha. "Já temos a sua posição.

Os policiais estão a caminho. Você está machucada? Está sendo ameaçada?" Alguém tomou o fone da minha mão e escutou. Um grito — POLÍCIA, SUJOU! Luzes azuis e vermelhas cintilaram na janela da pia da cozinha. O rosto da Rachel — furioso — diante do meu. Alguém me deu um tapa na cara. Saí rastejando da cozinha, em meio a uma floresta de pernas. Lá fora, a lua se despediu com um sorriso e partiu.

Voltei andando para o meu lar, uma casa vazia. Sem palavras.

Não é agosto. A lua está adormecida, e eu sentada no teto da varanda como uma gárgula congelada, me perguntando se o sol vai abandonar o mundo hoje para dormir até mais tarde.

Tem sangue na neve. Meus dentes atravessaram a carne do lábio. Vou precisar levar pontos. A minha mãe vai se atrasar de novo. Odeio o inverno. Morei a vida inteira em Syracuse e odeio o inverno. Começa cedo demais e termina tarde demais. Ninguém gosta dele. Por que é que as pessoas ficam aqui?

MEU BOLETIM

Participação	F	Estudos Sociais	F	Espanhol	D
Almoço	D	Biologia	D+	Álgebra	F
Traje	F	Inglês	D+	Ed. Física	D
Artes A					

QUARTA AVALIAÇÃO

EXTERMINADORES

A Associação de Pais e Mestres fez um abaixo-assinado para que a Vespa não continuasse sendo a mascote do colégio. Não gostaram do hino da torcida, que escutaram na última partida de basquete.

> SOMOS AS VEEESPAS
> NOSSA PICADA É FOOOGO
> AONDE QUER QUE A GENTE VÁÁÁ
> A GALERA SE ARREPIAAA
> É O TERROR, A-A-A, É O TERROR, A-A-A
> NÃO CANSAMOS DE FERRAR
> SOMOS AS VEEESPAS
> NOSSA PICADA É FOOOGO
> (e assim por diante)

A coreografia e os gestos que acompanhavam a canção assustaram a Associação de Pais e Mestres do Merryweather. E também todas as APMs da cidade inteira, quando a canção *Nossa Picada É Fogo* passou na TV. Como o locutor esportivo a achou bonitinha, resolveu fazer uma reportagem mostrando a "Picada das Vespas", com as cheerleaders agitando os *ferrões*, e a torcida rebolando e roçando os traseiros.

O conselho estudantil fez um contra-abaixo-assinado, preparado pela Sociedade de Honra. O documento descreve o dano psicológico que os alunos estão sofrendo por causa da falta de identidade, e pede que reconsiderem e não sejam hipócritas. É bem maneiro: "Nós, estudantes do ensino médio do Merryweather, acabamos nos orgulhando de ser Vespas. Somos persistentes, proativos, espertos. Somos um vespeiro, uma comunidade de estudantes. Não destruam a nossa colmeia. Nós *somos* as Vespas."

Não vai chegar a ser um problema sério até a temporada de futebol americano recomeçar. O nosso time de beisebol é um lixo mesmo.

ÉPOCA DAS CHUVAS

A primavera está a caminho. Os "ratos de inverno" — carros enferrujados caindo aos pedaços, que não valem um tostão furado e que todo mundo de bom senso só dirige de novembro a abril — estão voltando para as garagens. A neve vem derretendo de vez, e os carros reluzentes, ímãs de gatinhas, cintilam no estacionamento dos alunos do último ano.

Há outros sinais da primavera. Os gramados da frente das casas expelem pás e luvas que foram devoradas pelas nevascas em janeiro. Minha mãe levou os casacos de inverno para o sótão. Meu pai anda soltando uns resmungos sobre as janelas à prova de tormenta, mas ainda não tirou as proteções. Do ônibus vejo um fazendeiro caminhando no campo, aguardando que a lama lhe diga quando plantar.

É no 1º de Abril que a maioria dos alunos do último ano recebe as cartas de aceitação ou rejeição das universidades. Polegares para cima ou para baixo. O momento não é nada propício. Todo mundo está tenso à beça. A galera toma um remédio rosa para mal-estar estomacal direto do frasco. O David Petrakis, meu Parceiro de Laboratório, anda desenvolvendo um programa de banco de dados para registrar quem entrou e onde. Quer analisar quais cursos avançados os alunos do último ano fizeram, que notas tiraram nos testes padronizados, a que atividades extracurriculares se dedicaram e que coeficientes de rendimento acumulado tiveram, tudo isso para descobrir do que ele precisa para entrar em Harvard.

Tenho ido à maioria das aulas. Boa menina, Mellie. Finja de morta, Mellie. Senta, Mellie. Mas ninguém afagou a minha cabeça. Eu me dei bem num teste de álgebra, me dei bem num teste de inglês, me dei bem num teste de biologia. Bom, aleluia. Tudo é uma tremenda idiotice. Talvez seja por esse motivo que a galera resolve pertencer às tribos — para ter no que pensar durante as aulas.

O Andy Monstro entrou para o Clube Internacional. Eu não achava que fosse do tipo que se interessasse por culinária grega e museus franceses. Abandonou a mesa das Marthas e começou a passar o tempo livre com a Rachel/Rachelle, a Greta-Ingrid e as outras alienígenas. A Rachel/Rachelle fica piscando para ele com aqueles cílios roxos dela, como se o Monstro fosse algum tipo de Übergato. Nunca imaginei que ela era tão sem noção.

A Páscoa mal chegou e partiu, passando meio que despercebida. Acho que pegou minha mãe de surpresa. Ela não gosta desse feriado porque não tem data fixa e não é um daqueles em que as pessoas saem para fazer compras. Quando eu era pequena, ela escondia ovos coloridos pela casa inteira para que eu os encontrasse. O último que peguei estava numa cesta grande de coelhos de chocolate e pintinhos amarelos de marshmallow. Quando meus avós eram vivos, eles me levavam à igreja, e eu usava uns vestidinhos de renda engomados, que davam coceira.

Este ano nós comemoramos comendo picadinho de cordeiro. Fiz uns ovos cozidos para o almoço e desenhei rostinhos neles com uma caneta preta. Meu pai ficou reclamando da quantidade de trabalho que ainda tinha para fazer. Minha mãe mal abriu a boca. Eu, muito menos. No céu, os meus avós fizeram caretas. Eu até que gostaria de ter ido à igreja. Algumas das canções de Páscoa são bonitas.

SPRING BREAK

É o último dia do Spring Break, nosso Feriado da Primavera. A minha casa está encolhendo, e eu me sinto como a Alice. Com medo de que a minha cabeça arrebente o telhado, dou um pulinho no shopping. Estou com dez pratas no bolso — em que gastar? Batata frita! Vale investir toda essa grana nela, o suprassumo da fantasia. Se *Alice no País das Maravilhas* fosse escrito hoje, aposto como ela teria pedido batata frita gigante sabor "Devore-me", em vez de um bolinho. Mas, pensando melhor, o verão já está quase chegando, o que significa short e camiseta e talvez até um biquíni de vez em quando. Passo voando pelas fritadeiras cheias de gordura.

Agora que a primavera passou, as roupas de outono estão nas vitrines das lojas. Continuo a esperar o ano em que a moda vai acompanhar a estação do momento. Algumas das lojas têm uns artistas performando na entrada. Um cara fica lançando um avião idiota que dá voltas perfeitas, uma mulher de rosto artificial fica amarrando e desamarrando um xale. Não, agora é uma saia. Agora é uma frente-única. Agora é um lenço de cabelo. As pessoas evitam olhar para ela, ficam sem saber ao certo se deviam bater palmas ou dar uma gorjeta para a performance. Eu fico com pena — e me pergunto que notas ela deve ter tirado no ensino médio. Quero dar um trocado para ela, mas seria grosseiro perguntar se teria troco para dez?

Desço pela escada rolante até o chafariz central, onde a atração do dia é pintura facial. A fila é longa e ensurdecedora — meninas de seis anos acompanhadas pelas mães. Uma garotinha passa por mim — de tigre. Está chorando porque quer sorvete e enxuga as lágrimas. A pintura fica toda borrada, e a mãe grita com ela.

"Isso sim é que é zoológico."

Eu me viro. A Ivy está sentada na beira do chafariz, com um caderno de desenho enorme equilibrado nos joelhos. Ela acena com o rosto na direção da fila das choronas e dos animadores, desenhando freneticamente listras, pintas e bigodes de gatos.

— Sinto até pena — comento. — O que é que você está desenhando?

A Ivy se move para que eu me sente perto dela e me dá o caderno. Está desenhando os rostos das crianças. A metade de cada face se mostra comum e triste, e a outra, cheia de maquiagem de palhaço artificialmente feliz. Ela não fez nenhum tigre... nem leopardo.

— Da última vez que vim aqui, os animadores estavam pintando rostos de palhaços. Não tive sorte hoje — explica.

— Mas ficou legal — digo. — Meio fantasmagórico. Não assustador, mas inesperado. — Devolvo o caderno de desenho.

A Ivy enfia o lápis no coque. — Ótimo, estou buscando justamente esse efeito. Aquele troço que você fez com ossos de peru era meio assustador, também. Mas, no bom sentido, sabe, um repulsivo tolerável. Já faz meses, e ainda penso nele.

E o que é que eu devo falar agora? Mordisco o lábio, depois o solto. Pego um pacote de balas no bolso.

— Aceita? — ofereço. Ela pega uma, e eu, três, e ficamos chupando bala por um tempinho.

— Como está indo a árvore? — pergunta Ivy.

Solto um gemido. — Um lixo. Foi um erro escolher artes plásticas. Só que eu não me via fazendo carpintaria.

— Você é melhor do que pensa — incentiva a Ivy, abrindo o caderno até chegar a uma página em branco. — Só não sei por que insiste em usar placas de linóleo. Se eu fosse você, simplesmente extravasaria, desenharia. Toma. Tenta fazer uma árvore.

E ficamos ali, trocando de lápis. Desenho um tronco, ela acrescenta um galho, eu o alongo, mas aí ele fica comprido e fino demais. Começo a apagar, mas a Ivy me impede. — Está bom assim, só precisa de umas folhas. Desenha umas em camadas, de tamanhos ligeiramente diferentes, e vai ficar show. Já tem um bom começo aí.

Ela tem razão.

GENÉTICA

O último capítulo do ano em biologia é genética. É impossível escutar a srta. Keen. A voz da mulher parece um motor frio que não pega. A aula começa com a história de um padre que se chamava Greg e estudava ervilhas, e acaba com uma discussão sobre olhos azuis. Acho que perdi algum trecho — como é que a gente passou de ervilha a cor de olho? Melhor eu copiar as anotações do David.

Folheio o livro até uma página mais adiante. Encontro um capítulo interessante a respeito de chuva ácida. Nada sobre sexo. Só devemos ter aulas sobre o tema no segundo ano.

O David faz uma representação gráfica no caderno. A ponta do meu lápis quebra, e vou até a frente da sala para apontá-lo. Acho que a caminhada vai me fazer bem. A srta. Keen continua falando confusamente. A gente recebe metade dos genes da nossa mãe e metade do nosso pai. E eu reclamando da *jean*ética da Effert's. Rá-rá, piada infame de biologia.

Minha mãe diz que eu puxei o lado da família do meu pai. Quase todos policiais e vendedores de seguros que curtem apostar em jogos de futebol americano e fumar charutos repugnantes. Meu pai diz que eu puxei o lado da família da minha mãe. Fazendeiros que cultivam pedras e ervas daninhas. Não falam muito, não vão ao dentista nem leem.

Quando eu era pequena, costumava fingir que era uma princesa que tinha sido adotada quando meu reino fora invadido por uns caras maus. A qualquer momento os meus pais verdadeiros, o sr. Rei e a sra. Rainha, mandariam a limusine real me buscar. Quase tive um enfarte aos sete anos quando meu pai pediu, sei lá por quê, uma limusine para levá-lo ao aeroporto. Achei que tinham mesmo planejado me resgatar e eu não queria ir. Depois disso, meu pai só chamou táxis comuns.

Olho pela janela. Nada de limusines. Nem de carruagens, nem de coches. Agora que quero mesmo me mandar, ninguém me dá uma carona.

Desenho um salgueiro inclinado por cima da água. Não vou mostrá-lo para o prof. Freeman. Este será para o meu cubículo. Ando pendurando alguns dos meus desenhos nas paredes. Outra aula tão sacal quanto esta e vou ficar pronta para me mudar para lá de vez. As minhas folhas estão ficando bem legais e naturais. O truque é desenhá-las de tamanhos diferentes, e amontoar uma em cima da outra. A Ivy tinha razão.

A srta. Keen escreve "Dominante/Recessivo" no quadro-negro. Olho para as anotações do David. Ele está desenhando uma árvore genealógica. Do pai herdou o gene do cabelo e da mãe o gene dos olhos. Desenho uma árvore genealógica. Na verdade, um toco genealógico. Não somos muitos. E mal me lembro do nome de todo mundo. Tio Jim, tio Thomas, tia Mary, tia Kathy

— tem uma outra tia, que é muito recessiva. Ela resolveu entrar em recesso e foi parar lá no Peru. Acho que tenho os olhos iguais aos dela. E que herdei o gene do "Não quero nem ouvir falar nisso" do meu pai e o do "Vou pensar nisso amanhã" da minha mãe.

A sra. Keen informa que teremos teste amanhã. Eu queria ter prestado atenção na aula. Queria ter sido adotada. Queria que o David parasse de suspirar quando peço para copiar as anotações dele.

OUTRAS DEZ MENTIRAS
CONTADAS NO ENSINO MÉDIO

1. A álgebra lhe será útil quando for adulto.

2. Ir dirigindo para o colégio é um privilégio que pode ser cortado.

3. Os alunos devem permanecer no colégio para almoçar.

4. Livros novos chegarão a qualquer momento.

5. As universidades observam outros aspectos além das suas notas nos exames de admissão.

6. Estamos fiscalizando o cumprimento das normas de vestir.

7. Vamos descobrir como desligar a calefação em breve.

8. Os motoristas de nossos ônibus são profissionais altamente qualificados.

9. Não há nada de errado com o curso de férias.

10. Queremos ouvir o que você tem a dizer.

MINHA VIDA DE ESPIÃ

A Rachel/Rachelle perdeu a cabeça. Surtou. Foi ao cinema com o Andy Monstro e as amigas de intercâmbio, e agora fica seguindo o cara feito um bichon frisé. Ele leva a amiguinha dela Greta-Ingrid pendurada no pescoço como uma echarpe branca. Quando o traste cospe, aposto que a Rachel/Rachelle recolhe o material com uma xícara e o guarda.

A Rachel/Rachelle e uma outra tapada estão conversando sobre a ida ao cinema, antes do início da aula do sr. Stetman. Fico com vontade de vomitar. Parece que o disco dela arranhou: "o Andy isso", "o Andy aquilo". Será que podia dar menos na pinta? Tapo os ouvidos mentalmente para a sua risada idiota e asmática e faço o dever de casa, que deveria ter sido entregue ontem.

Geralmente é fácil fazer o dever de casa na sala, porque a voz do sr. Stetman cria uma barreira de som discreta e agradável. Mas não estou conseguindo fazer isso hoje, pois não está dando para fugir dos pensamentos que me vêm à mente. Por que me preocupar com a Rachel/Rachelle? (Ele vai magoá-la.) E ela por acaso fez alguma coisa boa para mim o ano inteirinho? (Foi a minha melhor amiga no fundamental, o que devia contar para alguma coisa.) Não, a garota é uma bruxa traidora. (Ela não viu o que aconteceu.) Deixe que persiga o Monstro — tomara que ele rompa logo com ela. (E se ele romper algo mais?)

Quando a aula termina, eu me meto no meio da galera que ruma para a porta, antes que o sr. Stetman me dê uma bronca por causa do dever de casa. A Rachel/Rachelle me dá um tranco ao se dirigir para onde a Greta-Ingrid e uma baixinha da Bélgica estão esperando. Eu sigo o grupo, sempre mantendo dois corpos entre nós, como os investigadores da TV. Eles estão a caminho do departamento de idiomas estrangeiros. O que não é de surpreender. Os gringos ficam sempre ali, como se precisassem respirar oxigênio perfumado com sua língua materna algumas vezes por dia, para não morrerem asfixiados com o inglês americano.

Andy Monstro dá um rasante sobre suas cabeças, dobra as asas e se coloca entre as garotas quando começam a subir a escada. Ele tenta dar um beijo no rosto da Greta-Ingrid, mas ela vira a cara. Aí dá um beijo no rosto da Rachel/Rachelle, e ela dá umas risadinhas. Só não beija a anã belga. Ela e a sueca dão um "ciao" quando chegam à sala do Departamento de Idiomas Estrangeiros. Dizem que rola uma máquina de *espresso* lá.

O clima amistoso entre a Rachel/Rachelle e o Andy continua enquanto caminham até o final do corredor. Fico de frente para uma esquina e finjo estudar álgebra. Acho que isso basta para me tornar irreconhecível. Eles se sentam no chão, ela na posição de lótus. O Andy rouba o caderno dela. A Rachel/Rachelle fica choramingando feito um bebê e se joga no colo dele para recuperá-lo. Sinto calafrios e arrepios. Ele fica passando o caderno de uma mão para a outra, sempre o mantendo fora do alcance. Então, diz algo para ela. Não consigo escutar. O corredor mais parece um estádio de futebol lotado. Os lábios dele se movem, venenosos, a garota sorri, aí dá um beijo de língua nele. Selinho é o c... Ele devolve o caderno. Seus lábios se movem. Jorra lava das minhas orelhas. Ela não é mais a suposta Rachelle-chique. Só consigo enxergar a Rachel da terceira séria, que gostava de batatinha frita sabor churrasco e que gostava de fazer tererê cor-de-rosa nos meus cabelos — que usei por meses até a minha mãe me obrigar a cortá-lo. Apoio a cabeça na parede áspera.

ATMOSFERA RAREFEITA

O melhor lugar para pensar no assunto é o meu cubículo, meu majestoso recanto, meu lar adotivo. Estou a fim de tomar uma ducha. Talvez eu devesse contar para a Greta-Ingrid. (Não falo sueco tão bem assim.) Ou quem sabe conversar com a Rachel. (Ah, tá.) Poderia dizer que andei ouvindo um monte de coisas ruins sobre o Andy. (O que acabaria tornando o cara mais atraente.) Poderia contar o que aconteceu. (Até parece que a Rachel me escutaria. E se ela fosse abrir a boca para o Andy? O que é que ele faria?)

Não tenho muito espaço para andar de um lado para o outro. Dou dois passos, viro, outros dois, e volto. Bato com a canela na cadeira. Desgraça de lugar. Que ideia mais idiota, ficar num cubículo como este. Ele exala inhaca, cheiros entranhados da galera da faxina — chulé, quentinha, roupa úmida e mal lavada. A escultura de ossos de peru desprende um odor meio pútrido. Os potinhos de comida de neném com pot-pourri não tem força o bastante para combater o fedor. Talvez haja um rato morto se decompondo atrás da parede, perto da abertura da calefação.

Maya Angelou me observa, com dois dedos apoiados na maçã do rosto. Pose inteligente. Ela quer que eu conte para a Rachel.

Tiro o meu suéter. A minha camiseta está colada no corpo. Eles continuam a manter a calefação no máximo, apesar de estar quente o bastante para se abrirem as janelas. É disso que eu preciso: de uma janela. Embora eu reclame muito do inverno, acho mais fácil respirar ar gelado, que desliza como mercúrio prateado ao entrar e sair dos pulmões. Em abril o clima fica úmido, com a neve semiderretida evaporando e a garoa. É um mês quente, com jeito de toalha de rosto mofada.

As pontas dos papéis dos meus desenhos se curvam em meio à umidade. Acho que tenho progredido um pouco no projeto da árvore. Como Picasso, passei por fases diferentes. Tive o Período Confuso, em que não sabia direito qual era a tarefa. O Período Lesado, em que não teria conseguido desenhar uma árvore nem que fosse para salvar a minha vida. O Período Morto, em que parecia que todas as minhas árvores tinham enfrentado uma queimada ou uma praga. Mas estou melhorando. Só que ainda não sei como chamar esta fase. Todos esses desenhos fazem o meu cubículo parecer menor ainda. Talvez eu devesse subornar um faxineiro para levar essas tranqueiras para a minha casa, e deixar o meu quarto mais parecido com esse recanto, mais como um lar.

Maya dá um tapinha no meu ombro. Não estou escutando. Tá legal, tá legal, não precisa repetir! Tenho que fazer alguma coisa com relação à Rachel, algo para ela. Maya me diz isso, sem falar nada. Eu paro. A Rachel vai me odiar. (Ela já me odeia.) Não vai me escutar. (Mas eu preciso tentar.) Solto um resmungo e rasgo um pedaço de folha de papel. Escrevo um bilhete para ela, com a mão esquerda, para que não saiba que fui eu.

"O Andy Evans só quer usar você. Ele não é o que parece. Ouvi dizer que atacou uma aluna do primeiro ano. Tome muito, muito cuidado. Assinado: uma amiga. P.S.: Conte para a Greta-Ingrid também."

Eu não queria ficar com peso na consciência por causa da top model sueca.

TORMENTOS E MAIS TORMENTOS

O prof. Freeman é um bocó. Em vez de me deixar sozinha para "eu encontrar a minha musa" (foi assim que ele falou, juro), ele se senta no banco, do meu lado, e começa a criticar. O que tem de errado com a minha árvore? O professor me inunda de palavras descrevendo como está uma droga. A árvore está rígida, artificial, não flui. É um insulto às árvores.

Eu concordo. A minha árvore é um caso perdido. Não pode ser considerada arte, mas uma desculpa para não ter que aprender a serrar madeira. Não tenho nada a ver com artes plásticas, da mesma forma que não tenho nada a ver com as Marthas nem com o meu quarto cor-de-rosa de garotinha. Aqui só deviam estar os verdadeiros artistas, tipo a Ivy. Levo a placa de linóleo até a lata de lixo e a jogo com tanta força que todos me olham. A Ivy franze o cenho, por trás da sua escultura de arame. Eu me sento de novo e apoio a cabeça na mesa. O prof. Freeman tira o bloco do lixo. E me traz uma caixa de Kleenex. Como é que ele sabia que eu estava chorando?

Prof. Freeman: — Você está melhorando, mas ainda não o bastante. Esta parece uma árvore, mas uma árvore normal, comum, cotidiana, monótona. Dê vida a ela. Faça com que se curve: as árvores, ao nascerem, são flexíveis, para não partirem. Coloque marcas, acrescente um galho retorcido, pois não existem árvores perfeitas. Nada é perfeito. As falhas são interessantes. Seja a árvore.

Ele usa uma voz melosa de sorvete, como um professor de jardim de infância. Se acha que posso fazer isso, então vou tentar mais uma vez. Meus dedos avançam na direção do cinzel. O prof. Freeman dá uma batidinha no meu ombro, e depois se vira para ir deixar outro aluno arrasado. Espero até ele não estar observando, então tento entalhar a minha vida no quadrado de linóleo inerte.

Talvez eu pudesse esburacar todo o linóleo e chamar a obra de "Bloco Vazio". Se alguém famoso fizesse isso, com certeza a obra se tornaria superpopular e valeria milhões. Se eu fizer, vai ser um fracasso total. "Seja a árvore." Que tipo de conselho é esse? O prof. Freeman anda passando tempo demais com os malucos beleza da galera New Age. Eu fui uma árvore na peça da terceira série porque não levava jeito para o papel de ovelha. Fiquei lá parada, com a cabeça baixa em meio à brisa, os braços estendidos feito galhos. Eles ficaram doloridos. Duvido que digam para as árvores "sejam a aluna doida do primeiro ano".

ORDEM DE SILÊNCIO

O advogado do David Petrakis se reuniu com o Mister Pescoço e uma espécie de advogado-professor. Adivinhe quem ganhou? Aposto que o David poderia faltar aula pelo resto do ano se quisesse, e ainda tiraria A. O que ele nunca faria, de qualquer forma. Mas pode ter certeza de que quando o David levanta a mão, o Mister Pescoço deixa que ele fale o quanto quiser. David, aquele cara caladão, está cheio de opiniões eloquentes, divagantes, intermináveis sobre história. O restante da turma agradece. Nós reverenciamos o Todo-Poderoso David, o Que Tira o Peso do Pescoço das Nossas Costas.

Infelizmente, o Mister Pescoço continua passando teste atrás de teste, e a maioria de nós se dá mal. Aí ele anuncia: quem estiver com notas baixas pode ganhar pontos se preparar um trabalho sobre a Influência Cultural Exercida pela Virada do Século. (Ele pulou a Revolução Industrial para que a nossa turma fosse além do ano 1900.) Não quer que todos nós tenhamos que fazer o curso de férias.

Eu também não estou nem um pouco a fim de encontrar o Mister Pescoço no verão. Escrevo sobre as sufragistas. Antes delas, as mulheres eram tratadas feito cachorro.

- Sem direito a voto
- Sem direito a propriedade privada
- Sem direito a alfabetização

Não passavam de marionetes, sem pensamentos, opiniões nem vozes próprias. Então as sufragistas começaram a organizar protestos, cheias de ideias revolucionárias e ousadas. Foram presas e condenadas, mas nada fez com que se calassem. Elas lutaram sem trégua até obter os direitos que deviam ter tido desde o início.

Faço o melhor trabalho da minha vida. Tudo o que copio de um livro, coloco em citações ou notas de rodapé (pé na roda?). Uso enciclopédias, artigos de revista e um vídeo. Considero a possibilidade de procurar uma velhinha sufragista num asilo, só que, na certa, já morreram todas.

Chego até a entregar no prazo. O Mister Pescoço franze o cenho. Olha para mim e diz: — Para receber os pontos pelo trabalho, vai ter que fazer uma apresentação oral. Amanhã. No início da aula.

Eu:

SEM JUSTIÇA, SEM PAZ

Não há a menor possibilidade de eu ler o meu trabalho sobre as sufragistas na frente da turma. O Mister Pescoço em momento algum disse que a gente tinha que fazer isso quando passou a tarefa. Acho que resolveu mudar as regras no último minuto porque está a fim de me reprovar ou não vai com a minha cara — vai saber. Mas eu fiz um trabalho superlegal e não vou deixar esse idiota ser injusto comigo. Resolvo pedir conselhos para o David Petrakis. A gente bola um plano.

Chego bem cedo, quando o Mister Pescoço ainda está na sala dos professores. Escrevo o que preciso no quadro-negro e cubro as palavras com um cartaz de protesto estilo sufragista. Minha pasta da fotocopiadora está no chão. O Mister Pescoço entra. Solta um resmungo, indicando que posso começar. Fico ali calma, de cabeça sufragista erguida. Mentira. As minhas entranhas parecem estar no meio de um tornado. Meus dedos dos pés se crispam dentro do tênis, tentando agarrar o chão para eu não ser tragada para fora da janela.

O Mister Pescoço acena com a cabeça. Pego o meu trabalho como se fosse ler em voz alta. Fico ali parada, os papéis tremendo como se uma brisa estivesse passando pela porta fechada. Eu me viro e arranco o cartaz do quadro-negro.

AS SUFRAGISTAS LUTARAM PELO DIREITO DE FALAR.
FORAM ATACADAS, PRESAS E CONDENADAS POR
OUSAR FAZER O QUE QUERIAM. COMO ELAS,
LUTAREI PELO QUE ACREDITO.
NINGUÉM DEVERIA SER OBRIGADO A DAR DISCURSOS.
ESCOLHO FICAR EM SILÊNCIO.

A turma lê devagar, alguns alunos movendo os lábios. O Mister Pescoço se vira para ver o que todos estão olhando. Aceno com a cabeça para o David. Ele vai até a frente da sala, e eu lhe entrego a pasta.

David: — A Melinda tem que apresentar o trabalho para a turma, como parte da tarefa. Ela tirou cópias para que todo mundo pudesse ler.

Ele as distribui. Paguei US$ 6,72 pelo serviço na papelaria. Eu ia fazer uma capa e colori-la, mas, como não ando recebendo muita mesada ultimamente, só coloquei o título no alto da primeira página.

Meu plano é ficar parada na frente da turma durante os cinco minutos que o professor me deu para fazer a apresentação. As sufragistas também devem ter planejado e cronometrado as suas manifestações. Mas os planos do Mister Pescoço são outros. Acaba me dando um D e me levando para as autoridades. Eu não lembrei que as sufragistas tinham sido levadas para o xadrez. Dãã. Faço uma turnê pela sala da orientadora educacional, pela do Diretor Diretor e acabo na PERDA, de novo. Novamente sou um Problema Disciplinar.

Preciso de um advogado. Não faltei nem um dia neste semestre, fiquei lá sentada em todas as aulas, fiz algumas tarefas, e não colei nas provas. E ainda acabo na PERDA. Não é possível que possam me castigar por não falar. Superinjusto. O que é que sabem sobre mim? O que é que sabem sobre o que se passa na minha cabeça? Relâmpagos, crianças chorando. Atropelada por uma avalanche, morta de preocupação, contorcendo-me sob o peso da dúvida e da culpa. Medo.

As paredes da sala da PERDA continuam brancas. O Andy Monstro não está aqui. Dos males o menor. Um cara com cabelo descolorido, que parece estar recebendo o espírito de um alienígena, cochila; duas góticas de vestido de veludo preto e meias de seda habilmente rasgadas trocam sorrisos de Mona Lisa. Elas mataram aula para ficar na fila do ingresso para ir a um show irado. A PERDA é um pequeno preço a pagar pela Fileira 10, cadeiras 21 e 22.

Estou passada. Os advogados na TV sempre aconselham os clientes a não falar nada. O policial diz aquele troço: "Tudo o que disser pode e será usado contra você." Autoincriminação. Eu pesquisei isso. Palavra que vale três pontos em Vocabulário. Então, por que é que todo mundo acha que é o fim do mundo eu não falar? Talvez não queira me autoincriminar. Talvez não goste do som da minha voz. Talvez não tenha nada a dizer.

O garoto do cabelo descolorido acorda quando cai da cadeira. As góticas dão risadinhas. O Mister Pescoço tira uma meleca quando acha que a gente não está olhando. Preciso de um advogado.

CONSELHOS DE UM SABICHÃO

O David Petrakis me manda um bilhete na aula de estudos sociais. Digitado. Ele acha que foi péssimo os meus pais não terem filmado a aula do Mister Pescoço nem me defendido do jeito como os dele fizeram. É tão legal ter alguém se preocupando comigo, que nem menciono que os meus pais não fazem a menor ideia do que aconteceu. Mas vão ficar sabendo em breve, na próxima reunião com a orientadora educacional.

Acho que o David devia se tornar juiz. Sua meta profissional mais recente é virar gênio em física quântica. Não sei o que isso significa, mas ele diz que o pai está furioso. E com razão — o David nasceu para atuar na área de direito: supercalmo, mente turbinada e um olho clínico para fraquezas.

Ele para perto do meu armário. Eu conto que o Mister Pescoço me deu um D no trabalho sobre as sufragistas.

David: — Ele tem seus motivos.

Eu: — Foi um trabalho fantástico! Você leu! Fiz até bibliografia e não copiei da enciclopédia. Um ótimo dever de casa. Não é minha culpa se o Mister Pescoço não saca nada de artes dramáticas.

Ele faz uma pausa para me oferecer um chiclete. É uma tática de protelação, do tipo que os jurados adoram.

David: — Mas você entendeu mal. As sufragistas defendiam o direito de falar e lutavam por justiça. Você não pode fazer uma manifestação em prol do seu direito de ficar calada. Desse jeito, deixa os vilões ganharem. Se as sufragistas tivessem agido assim, as mulheres não teriam conquistado o direito de voto.

Estouro uma bola na frente do rosto dele. O David vai dobrando o papel do chiclete, formando minitriângulos.

David: — Não me leve a mal. Acho que o que você fez foi até legal, e ter ido parar na PERDA não foi justo. Mas não espere chegar a parte alguma se não abrir a boca para defender o seu ponto de vista.

Eu: — Você passa sermão em todos os seus amigos?

David: — Não, só nos de que eu gosto.

Ficamos mastigando o que ele disse. O sinal toca. Procuro um livro no meu armário, apesar de saber que não está lá. O David olha para o relógio trilhões de vezes. Ouvimos o Diretor Diretor gritar: — Vamos lá, gente!

David: — De repente vou te ligar mais tarde.

Eu: — De repente não vou atender. — Mastiga, mastiga. PLOC! — De repente vou.

Será que ele está me chamando para sair? Acho que não. Mas parece que está, sim. Vou atender quando ele ligar, embora um encontro esteja fora de questão, pois, se ele tocar em mim, posso até explodir. Proibido tocar.

MONSTRO À ESPREITA

Fico na escola, depois da aula, para desenhar árvores. O prof. Freeman me ajuda por um tempo. Ele me dá um rolo de papel pardo e um pedaço de giz branco e me mostra como traçar uma árvore em três linhas curvas. Não está nem aí para os erros que cometo, quer que eu continue desenhando, um-dois-três, "como uma valsa", diz. Repetidas vezes. Uso um quilômetro de papel, mas o prof. Freeman não se importa. De repente essa é a causa do problema de verba dele com o conselho escolar.

Deus intervém com voz chiada pelo interfone e avisa que o prof. Freeman está atrasado para a reunião do corpo docente. Ele deixa escapar aquelas palavras que geralmente não se ouvem dos professores. Então me dá outro pedaço de giz e me manda desenhar raízes. Uma árvore não cresce sem elas.

A sala de artes é um dos lugares em que me sinto segura. Cantarolo de boca fechada e não estou nem aí se pareço idiota. Raízes. E agora? Mas eu tento. Um-dois-três, um-dois-três. Não estou preocupada com os próximos minutos nem com o dia seguinte. Um-dois-três.

Alguém apaga a luz. Ergo a cabeça na mesma hora. O TROÇO está ali. Andy Monstro. Meu coração de coelhinho salta do peito e atravessa correndo o papel, deixando pegadas ensanguentadas nas minhas raízes. Ele volta a acender a luz.

Sinto o cheiro dele. Tenho que descobrir onde é que ele compra aquela água-de-colônia. Acho que se chama Medo. Esta cena está parecendo um daqueles pesadelos recorrentes, em que você fica caindo e caindo, sem nunca atingir o chão. Acontece que eu tenho a sensação de ter acabado de me estatelar, a cem por hora.

O TROÇO: —Viu a Rachelle? Rachelle Bruin?

Fico totalmente imóvel. Talvez consiga me camuflar em meio às mesas de ferro e os vasos toscos de cerâmica. Ele caminha na minha direção com passadas lentas e longas. O cheiro me sufoca. Estremeço.

O TROÇO: — Ela disse que ia se encontrar comigo, mas não estou achando a garota em lugar nenhum. Sabe quem ela é, né?

Eu:

O TROÇO se senta em cima da minha mesa, e a perna dele borra o meu desenho de giz, transformando as raízes numa névoa musgosa.

O TROÇO: — Alôô-ô? Tem alguém em casa? Você é surda?

Ele fica olhando para mim. Contraio com tanta força os maxilares, que os meus dentes se desintegram, virando pó.

Sou uma gazela paralisada diante dos faróis de um caminhão. Ele vai me machucar de novo? Não faria isso, não no colégio. Ou faria? Por que é que eu não consigo nem gritar, nem dizer algo nem fazer alguma coisa? Por que é que estou com tanto medo?

— Andy? Eu estava te esperando lá fora. — A Rachel entra depressa na sala, com uma saia cigana, daquele estilo meio riponga, e um colar com espelhos do tamanho de olhos. Ela faz beicinho, e o Andy salta da mesa, rasgando o meu papel, espalhando pedaços de giz. A Ivy entra, esbarrando na Rachel sem querer. Aí hesita — com certeza percebendo que tem algo no ar —, pega a escultura na estante e se senta à mesa, que fica do meu lado. A Rachel olha para mim, mas não diz nada. Deve ter recebido o meu bilhete, pois faz mais de uma semana que o enviei. Eu me levanto. A Rachel dá um vago aceno para a gente e diz "Ciao". O Andy a abraça pela cintura e a puxa para perto dele conforme eles saem despreocupadamente da sala.

A Ivy está falando comigo, mas só depois de um tempo consigo ouvi-la. — Que babaca — comenta ela, beliscando a argila. — Não dá nem para acreditar que a Rachel está saindo com ele. Você acredita? É como se eu não conhecesse mais minha amiga. Esse cara é do mal. — Ivy amassa um pedaço de argila na mesa. — Pode crer, mal com M maiúsculo.

Eu adoraria ficar ali batendo papo, mas os meus pés não me deixam. Vou andando para casa, em vez de pegar o ônibus. Destranco a porta da frente e subo direto até o meu quarto, atravesso o tapete e vou para o meu closet sem nem tirar a mochila. Quando me fecho, enterro o rosto nas roupas penduradas no lado esquerdo, roupas que não me servem há anos. Enfio aqueles tecidos velhos na boca e grito até só restar silêncio nas minhas entranhas.

DOENTE EM CASA

Chegou a hora de decretar o dia da saúde mental. Preciso ficar em casa de pijama, tomando sorvete direto do pote, pintando as unhas do pé e curtindo programas trash na TV. É preciso planejar com antecedência o dia da saúde mental. Aprendi isso por causa de uma conversa que a minha mãe teve com a amiga Kim. Ela sempre começa a sentir que não está bem umas 48 horas antes de se sentir mal. Ela e a amiga tiram o dia da saúde mental juntas. Compram sapatos e vão ao cinema. A última palavra em delinquência senil. Parem o mundo que eu quero descer!

Não janto nem como sobremesa e tusso tanto durante o noticiário que o meu pai me manda tomar um xarope. De manhã, espalho rímel debaixo dos olhos para dar a impressão de que não preguei o olho. A minha mãe põe a mão na minha testa para ver se estou com febre — o pior é que estou mesmo. Até eu fico surpresa. A mão dela está gelada, uma ilha na minha testa.

As palavras escapolem antes que eu consiga impedi-las:

Eu: — Não estou me sentindo bem.

Ela afaga as minhas costas.

Mamãe: — Deve estar se sentindo mal mesmo. Está falando.

Até ela percebe que o comentário foi cruel. Pigarreia e tenta de novo.

Mamãe: — Desculpe. É bom ouvir a sua voz. Volte para a cama. Vou levar algo para você comer antes de sair. Quer um gole de ginger ale?

Faço que sim com a cabeça.

EU NUM TALK-SHOW VESPERTINO

Estou com 39 de febre. Minha mãe me liga para lembrar que preciso beber muito líquido. Digo "valeu", apesar da dor de garganta. Legal ela me telefonar. E prometer me trazer uns picolés. Desligo e me aconchego no meu cantinho do sofá, com o controle remoto. Clique. Clique. Clique.

Se a minha vida fosse um programa de TV, desses que passam de tarde, qual seria? Se eu participasse de uma mesa-redonda escolar, trataria do tema — na frente de uma plateia, com gente da minha idade — *Como Não Perder a Virgindade*. Ou, *Por que os Alunos do Último Ano Deviam ir para a Cadeia*. Ou, *Minhas Férias de Verão: Baladas, Bêbados, Mentiras e Estupros*.

Eu fui estuprada?

Oprah: — Vamos analisar isso. Você disse NÃO. Ele tapou a sua boca com a mão. Você tinha treze anos. Não importa que estivesse embriagada. Querida, você foi estuprada. Que coisa mais terrível, terrível de enfrentar. Não pensou em contar para alguém? Não pode ficar com isso guardado para sempre. Alguém pode dar um lenço de papel para ela?

Sally Jessy: — Esse rapaz tem mais é que prestar contas. Ele foi culpado dessa agressão. Você sabe que foi uma agressão, não sabe? Não foi sua culpa. Quero que me escute, ouviu, me escute! Não foi sua culpa. Esse sujeito é um animal.

Jerry Springer: — Foi por amor? Não. Por luxúria? Não. Aconteceu com carinho e delicadeza, a Primeira Vez de revista? Não, não, não, não, não! Desembucha, Matilda, perdão, Melinda, não consigo escutá-la!

Minha cabeça está me matando, minha garganta está me matando, meu estômago borbulha com lixo tóxico. Só quero dormir. Um coma cairia bem. Ou uma amnésia. Qualquer coisa, só para me livrar disso, desses pensamentos, desses sussurros na minha mente. Ele estuprou a minha cabeça, também?

Tomo dois analgésicos e como uma travessa inteira de pudim. Então vejo um programa infantil, e caio no sono. Uma viagem ao Mundo do Faz-de-Conta seria legal. Talvez eu pudesse me mudar para o telhado do Snoopy.

A VERDADEIRA PRIMAVERA

Maio finalmente chegou, e agora parou de chover. O que foi bom, pois o prefeito estava prestes a convocar um cara chamado Noé. O sol desponta de um tom amarelo-manteiga tão quente que seduz as tulipas a saírem da lama endurecida. Um milagre.

O nosso jardim está um desastre. Os vizinhos têm uns maravilhosos, parecendo capa de revista, com flores combinando com as persianas e aquelas pedras brancas caras contornando montículos de estrume fresco. Os arbustos verdinhos do nosso, mal cobrem as janelas da frente, e tem um montão de folhas mortas no solo.

Minha mãe já saiu. Sábado é o dia em que mais se vende na Effert's. Meu pai está roncando lá em cima. Visto um jeans velho e pego um ancinho nos fundos da garagem. Começo com as folhas, que sufocam os arbustos. Aposto que meu pai não limpa isso há anos. Por cima parecem inofensivas e secas, mas por baixo estão úmidas e viscosas. Um mofo branco passa sorrateiramente de uma folha para a outra. Todas ficam grudadas feito páginas molhadas de um livro em decomposição. Eu junto uma montanha no jardim da frente e ainda falta um bocado, como se a terra regurgitasse folhas pegajosas sempre que me distraio. Tenho que lutar contra os arbustos. Eles agarram e prendem os dentes do ancinho — não gostam que eu limpe todo aquele material putrefato.

Levo uma hora. Finalmente, o ancinho passa suas garras de metal pela terra úmida. Fico de joelhos e me estico para pegar as últimas folhas escondidas. A srta. Keen se orgulharia de mim. Fico só olhando. As minhocas estão se contorcendo sob o sol, procurando abrigo. Brotos verde-claros de uma criatura tinham avançado com esforço debaixo das folhas. Vejo que eles se endireitam para tomar sol. Juro que posso vê-los crescer.

A porta da garagem abre, e meu pai sai de marcha a ré, no jipe. Para no caminho de entrada quando me vê. Desliga o carro e sai. Eu me levanto e bato a terra da calça. Estou com bolhas nas palmas das mãos e com os braços doloridos de tanto passar o ancinho. Não dá para saber se meu pai está bravo ou satisfeito. Talvez ele goste da frente da casa daquele jeito abandonado.

Meu pai: — Você deu um duro danado.

Eu:

Meu pai: — Vou comprar uns sacos para folhas lá na casa de ferragens.

Eu:

Ficamos ali parados, de braços cruzados, olhando fixamente para os brotinhos, que tentam crescer à sombra dos arbustos devoradores de lares. O sol se esconde atrás de uma nuvem, e estremeço. Eu deveria ter colocado um casaco. O vento faz as folhas ainda penduradas nos galhos do carvalho farfalharem. Penso comigo mesma que essas folhas cairão e terei que passar o ancinho.

Meu pai: — Parece bem melhor. Quer dizer, tratado desse jeito.

O vento sopra de novo. As folhas se agitam.

Meu pai: — Acho que eu devia podar os arbustos. Claro que aí se veriam as persianas, e elas estão precisando ser pintadas. E, se eu tiver que pintar essas da frente, vou ter que fazer isso na casa toda, junto com os caixilhos. E a porta da entrada.

Eu:

Árvore: — Xiuuu farfalhar shhhaque-shhhaque shhhhh...

Meu pai se vira para escutar a árvore. Não sei o que fazer.

Meu pai: — E... essa árvore está doente. Já reparou como os galhos do lado esquerdo estão sem brotos? Eu deveria chamar alguém para dar uma olhada nela. Não quero que caia no seu quarto, numa tempestade.

Valeu, pai. Como se eu já não estivesse com dificuldade para dormir. Preocupação nº 64: galhos de árvore esvoaçantes.

Eu não devia ter passado o ancinho. Olha só o que comecei. Era melhor não ter nem saído de dentro de casa. Devia era ter ficado vendo desenho com uma tigela de cereal bem funda no colo. Dentro do quarto. Sozinha com os meus pensamentos.

Meu pai: — Bom, então vou dar um pulinho na casa de ferragens. Me acompanha?

A casa de ferragens. Três hectares repletos de sujeitos com barba por fazer e mulheres agitadas buscando a chave de fenda exata, o herbicida infalível, a churrasqueira vulcânica a gás perfeita. Barulheira. Luzes. Pirralhos correndo pelo corredor com machados, machadinhas e lâminas de serra. Casais brigando por causa da cor ideal para pintar o banheiro. Não, muito obrigada.

Balanço a cabeça. Pego o ancinho e começo a ajeitar a pilha de folhas mortas. Uma bolha estoura e molha o cabo da ferramenta como uma lágrima. O meu pai assente e vai até o jipe, as chaves tilintando nos dedos. Uma cotovia pousa num galhinho baixo do carvalho e me repreende. Tiro com o ancinho as folhas da minha garganta.

Eu: — Pode comprar umas sementes para mim? De flores?

FALTA!

A nossa professora de educação física, a srta. Connors, está ensinando a gente a jogar tênis. Esse é o único esporte que quase não chega a ser uma perda de tempo total. Basquete seria fantástico se apenas fosse preciso ficar arremessando lances livres, só que na maior parte do tempo a gente fica na quadra com outras nove pessoas, esbarra-esbarra, empurra-empurra e corre-corre. O tênis é mais civilizado. Só duas pessoas precisam jogar, a menos que seja em dupla, o que eu nunca faço. As regras são simples, dá para recobrar o fôlego após alguns minutos e melhorar o bronzeado.

Na verdade, eu aprendi a jogar alguns verões atrás, quando os meus pais conseguiram um mês gratuito de teste numa academia. Minha mãe me inscreveu na aula de tênis, e eu joguei com o meu pai algumas vezes antes de eles concluírem que a mensalidade era cara demais. Como não sou totalmente sem jeito com a raquete, a srta. Connors me coloca para jogar com a Deusa Atlética Nicole com o intuito de demonstrar para o resto da turma.

Eu saco primeiro, bom saque, com certa velocidade. A Nicole rebate com uma ótima esquerda. A gente fica trocando bolas. Aí a srta. Connors apita, pede que paremos e explica o sistema de pontuação maluco do tênis, em que os números não fazem sentido e love — zero — não vale nada.

A Nicole saca a seguir. Um ace de cento e quarenta quilômetros por hora que bate na quadra antes mesmo que eu possa me mover. A srta. Connors diz para a Nicole que ela é uma craque, e a garota sorri.

Eu não sorrio.

Daí me preparo para o segundo saque dela e rebato a bola, mandando-a pela sua goela abaixo. A professora me elogia, e a Nicole ajusta as cordas da raquete. Saque meu.

Bato a bola algumas vezes. A Nicole fica saltitando, apoiada na base dos pés. Já não está mais de brincadeira. Seu orgulho está em risco, sua dignidade feminina. Não vai se deixar derrotar por uma delinquente sinistrona mudacalada, que foi sua amiga. A professora me manda sacar.

Bato com força, mandando a bola direto para o rosto da Nicole, que sorri por trás do protetor bucal roxo, feito sob medida. Ela gira, para sair do caminho.

Srta. Connors: — Falta! — Risadinhas da turma.

Pisei na linha. Coloquei o pé errado na frente, a pontinha do dedo em cima da linha. Tenho uma segunda chance. Outro aspecto civilizado do tênis.

Bato a bolinha amarela, um dois três. Eu a jogo bem alto no ar, como se soltasse uma ave, daí movo o braço em arco, giro o ombro, libero o poder e a raiva e não me esqueço de direcioná-la. A minha raquete adquire vida própria, um raio de energia. Bate com força, mandando a bola a toda velocidade por cima da rede. A bolinha explode na quadra, deixando uma cratera antes mesmo que a Nicole pudesse piscar. Passa pela garota e atinge a cerca com tanta força que ela sacoleja. Ninguém ri.

Bola boa, é ponto meu. A Nicole acaba ganhando a partida, mas apertado. Todo mundo fica reclamando das bolhas. Estou com calos na mão por causa do trabalho no jardim. Sou durona o bastante para jogar e forte o suficiente para ganhar. Talvez eu convença o meu pai a voltar a jogar comigo. Poder ganhar de alguém em algo seria o único ponto alto de um ano péssimo.

ANUÁRIOS

Os anuários do colégio chegaram. Todo mundo parece entender esse ritual, menos eu. Você vai atrás das pessoas com aparência vagamente familiar e faz com que escrevam no seu anuário como vocês são grandes amigos, como nunca vão se esquecer um do outro e se lembrar da aula de _____ (preencha o espaço), desejando um verão fantástico. A gente se vê por aí.

Observo alguns alunos pedirem às atendentes do refeitório para que assinem seus anuários. O que será que elas escrevem: "Tomara que suas almôndegas de frango nunca estejam cruas?" Ou, quem sabe, "Que a sua gelatina sempre tremule?"

As cheerleaders conseguiram algum tipo de dispensa especial para ficar zanzando pelo corredor em grupo, com canetas em punho para pegar assinaturas dos funcionários e dos estudantes. Farejei espírito competitivo quando passaram por mim. Estão contando quem tem mais assinaturas.

A publicação do anuário esclarece outro grande mistério do ensino médio: a razão de todas as garotas populares suportarem os hábitos super-repulsivos do Todd Ryder. Ele é um porco. Grosseirão, vulgar, desbocado, fedorento e vai fazer o maior sucesso em alguma fraternidade universitária. Mesmo assim a galera popular ficou puxando o saco dele o ano inteiro. Por quê?

Todd Ryder é o fotógrafo do anuário.

Basta folhear o livro para saber de quem ele gosta. Se você for legal com o cara, ele vai tirar fotos suas que despertarão o interesse até de uma agência de modelos. Ignore o Todd, e vai parecer um mendigo.

Se eu dirigisse um colégio de ensino médio, incluiria esse tipo de coisa no sermão do primeiro dia. Eu não tinha sacado o Poder de Todd. Ele tirou apenas uma foto minha. Nela estou me afastando da câmera, com o meu casaco velho, os ombros na altura das orelhas.

Não estarei comprando o anuário.

NÃO MAIS DONA JUBA

A Dona Juba fez um corte à escovinha. Os cabelos estão com um centímetro de comprimento, uma graminha rala de pelos curtos e arrepiados na cabeça. Estão pretos — sem nenhum tom laranja artificial. E ela também trocou os óculos por um par de bifocais com armação roxa, que ficam pendurados numa correntinha de contas.

Não faço ideia do que causou isso. Será que ela está apaixonada? Se divorciou? Se mudou do porão dos pais? A gente nunca acha que os professores têm pais, mas devem ter.

Alguns alunos espalham que ela fez isso para nos confundir enquanto preparamos o trabalho final. Vai saber. Ela deixou que escolhêssemos. Escrevemos sobre o "Simbolismo nas HQs" ou "Como a Narrativa Mudou a minha Vida". Acho que aí tem coisa. Para mim ela arrumou um bom psicólogo, ou talvez tenha publicado o romance que vem escrevendo desde que o planeta esfriou. Fico pensando se ela vai dar aulas no curso de férias.

RABISCOS NA PAREDE

A Ivy está sentada à minha mesa de artes com quatro canetinhas coloridas sem tampa espetadas no coque. Eu me levanto, ela vira a cabeça e pronto — fico com um arco-íris na blusa. Ela pede mil desculpas. Se tivesse sido outra pessoa, eu ia achar que foi de propósito. Mas a Ivy e eu andamos mantendo uma relação, tipo assim, amistosa nas últimas semanas. Não acho que ela estava tentando ser maldosa.

O prof. Freeman me deixa ir até o banheiro, onde tento esfregar as marcas. Devo estar parecendo um cachorrinho correndo atrás do rabo, girando e me contorcendo, tentando ver as manchas nas minhas costas pelo espelho. A porta abre. É a Ivy. Levanto a mão assim que ela abre a boca. — Não precisa se desculpar. Eu sei que você sente muito. Foi sem querer.

Ela aponta para as canetinhas ainda no coque. — Tampei todas. O prof. Freeman me mandou fazer isso. Ele disse que eu devia dar um pulinho aqui para ver como você estava.

— Está preocupado comigo?

— Quer ter certeza de que você não vai desaparecer. As pessoas sabem que de vez em quando você fica fora do ar.

— Não no meio da aula.

— Sempre tem uma primeira vez para tudo. Entra ali na cabine e me passa a sua blusa. Não vai dar para lavá-la enquanto você estiver vestindo.

Acho que a sala do Diretor Diretor devia ser no banheiro. Quem sabe assim ele contrata alguém para mantê-lo limpo ou um guarda armado para impedir que as pessoas entupam o vaso sanitário, fumem e escrevam nas paredes.

— Quem é Alexandra? — pergunto.

— Nunca ouvi falar — diz Ivy, em meio à torneira aberta. — Peraí, talvez tenha uma no segundo ano. Por quê?

— Pelo que diz aqui, ela deixou um monte de gente pê da vida. Alguém escreveu em letras imensas que a garota é uma piranha, e esse pessoal aqui acrescentou mais uns detalhezinhos. Ela dormiu com esse cara, dormiu com aquele outro, dormiu com todos esses garotos ao mesmo tempo. Para uma garota do segundo ano, ela com certeza se socializa bem.

A Ivy não responde. Espio pela fresta entre a porta e a parede. Ela abre o porta-sabonete líquido e mete a minha blusa dentro. Então esfrega as manchas. Tremo de frio. Estou só de sutiã, não lá muito limpo, e está um freezer. A Ivy ergue a blusa contra a luz, franze o cenho e esfrega de novo. Quero respirar fundo, mas o fedor está brabo.

—Você se lembra quando disse que o Andy Evans era do mal?

— A-hã.

— Por que é que disse isso?

A Ivy enxágua a blusa, tirando o sabonete. — Ele tem uma péssima fama. Só está a fim daquilo e isso não é puro boato, quando ele quer ele consegue. — A Ivy espreme a blusa. O barulho de água pingando ecoa nos azulejos.

— A Rachel está saindo com ele — comento.

— Eu sei. É só acrescentar isso na lista de asneiras que ela anda fazendo este ano. O que é que ela diz dele?

— Não estamos nos falando — informo.

— Ela é uma idiota completa, é o que você quis dizer. Acha que é um ser superior.

A Ivy aperta o botão prateado do secador de mão e levanta a blusa. Releio a pichação. "Eu coração Derek." "O Mister Pescoço morde." "Eu odeio este lugar." "Syracuse é show." "Syracuse é o ó." Listas de mais gatos, listas de mais babacas, lista de estações de esqui no Colorado, com as quais toda a galera sonha. Números de telefones foram riscados a chave. Rolam conversas inteiras na cabine do banheiro, até o chão. É tipo uma sala de bate-papo da comunidade, um jornal de metal.

Peço que a Ivy me passe umas canetinhas. Ela faz isso. — Acho que você vai ter que botar água sanitária nela — comenta, passando a blusa também. Visto. Ainda está úmida. — Para que você queria a canetinha?

Prendo a tampa entre os dentes. Lanço uma nova lista na parede: *Fujam deles.* O primeiro item é o Monstro em pessoa: *Andy Evans.*

Abro a porta com um floreio. — Tchã-rã! — E aponto para a minha obra.

A Ivy abre o maior sorriso.

PREPARATIVOS PARA A FESTA DE FORMATURA

O clímax da temporada de pegação está quase chegando — a Festa de Formatura dos Alunos do Último Ano. Eles deviam suspender as aulas esta semana. As únicas coisas que a gente está memorizando: quem vai com quem, quem comprou o vestido em Manhattan, que empresa de limusine não dedura se a galera bebe, a loja de aluguel de smoking mais cara e etcetera e tal. A vibe da fofoca podia fornecer energia elétrica para o prédio pelo resto do período letivo. Os professores estão passados. Os alunos não estão entregando o dever de casa por causa das sessões de bronzeamento artificial.

O Andy Monstro convidou a Rachel para ir com ele. Não posso nem acreditar que a mãe dela deixou, mas talvez a mulher tenha concordado porque eles vão junto com o irmão da Rachel e a garota que ele chamou. Como a Rachel é uma das raríssimas alunas do primeiro ano a ser convidada (ou: a serem convidadas? preciso perguntar para a Dona Juba), seu prestígio social foi às nuvens. Ela não deve ter recebido o meu bilhete, ou talvez tenha decidido ignorá-lo. Talvez até o tenha mostrado para o Andy, e depois dado risada junto com ele. Talvez não vá entrar numa fria como eu, talvez ele a respeite. Talvez seja melhor eu parar de pensar no assunto antes que enlouqueça.

A Heather vem me procurar rastejando, em busca de ajuda. Minha mãe nem acredita: uma amiga, que vive e respira, perguntando na varanda da frente por sua filha desajustada! Arranco a Heather das garras da minha mãe, e vamos para o meu quarto. Meus coelhinhos de pelúcia saem das tocas, retorcendo os focinhos, o coelhinho rosa, o coelhinho roxo, o coelhinho de algodão que ganhei da vovó. Eles parecem tão animados quanto a minha mãe. Companhia! Posso ver o quarto através das lentes de contato verdes da Heather. Ela não diz nada, mas eu sei que acha que o quarto é ridículo como o de uma garotinha, com todos aqueles coelhos de pelúcia — devem ser uns cem. Minha mãe bate na porta. Trouxe cookies para a gente. Até me dá vontade de perguntar se ela está passando mal. Ofereço o pacote para a Heather. Ela pega um e mordisca as beiradas. Eu devoro cinco, só para provocá-la. Deito na cama, prendendo os coelhos perto da parede. A Heather afasta com cuidado uma pilha de roupa suja da minha cadeira e senta o traseiro magricelo ali. Fico esperando.

Então ela começa a contar uma história triste, sobre como odeia ser uma Martha Vai Com As Outras. Escravidão por contrato seria melhor. Elas só estão se aproveitando dela, dando ordens o tempo todo. As notas da Heather baixaram bastante, para média B, por causa do tempo que ela tem que passar esperando pelas Marthas do Último Ano. O pai da Heather está pensando em aceitar um emprego em Dallas, e ela não se importaria de se mudar de novo, hum-hum, nem um pouquinho, porque ouviu dizer que a galera do sul não é tão metida quanto a daqui.

Como mais cookies. Estou lutando contra o choque de ter uma convidada no meu quarto. Quase expulso a garota dali, porque sei que vou ficar supertriste quando ele ficar vazio de novo. A Heather diz que eu é que fui esperta... — Muito esperta, Mel, de se mandar daquele grupo idiota. Esse ano inteiro foi péssimo, odiei cada dia, mas não tive coragem de me mandar, como você fez.

Ela ignora por completo o fato de que eu nunca tinha chegado a entrar para a tribo e que ela me abandonou, me banindo até das sombras da glória Marthiana. Tenho a sensação de que a qualquer momento um cara de terno lavanda vai entrar de supetão no quarto com um microfone e bradar: "Mais um momento de realidade-alternativa oferecido para vocês pela Adolescência!"

Ainda não saquei por que a Heather está aqui. Ela dá uma lambida numa migalha do cookie e vai direto ao assunto. Junto com as Marthas do Último Ano, ela vai ter que decorar o salão do hotel Holiday Inn, o que fica na estrada, para a Festa de Formatura. Meg "mais" Emily "mais" Siobhan não podem ajudar, claro; precisam ir fazer as unhas e clarear os dentes. As privilegiadas — a minoria —, as Marthas do Segundo Ano, estão de molho por causa da mononucleose, largando a Heather sozinha. Ela está desesperada.

Eu: — Você tem que decorar tudo? Até sábado à noite?

Heather: — Na verdade, a gente só pode começar depois das três da tarde no sábado, por causa de uma convenção idiota de vendedores da Chrysler. Mas eu sei que a gente tem condições de fazer isso. Estou pedindo ajuda para outras pessoas também. Você conhece alguém que poderia me dar uma força?

Sinceramente, não, mas enquanto mastigo tento dar a impressão de que estou pensando. Mas a Heather entende que isso quer dizer que sim, eu vou ajudá-la. Ela pula da cadeira.

Heather: — Eu sabia que você ia ajudar. Você é demais! Vou te dizer uma coisa. Fico te devendo uma, devendo pra valer. Que tal se na semana que vem eu vier aqui te ajudar a redecorar o quarto?

Eu:

Heather: — Ué, você não comentou comigo uma vez o quanto odiava o seu quarto? Bom, agora entendo por quê. Só acordar aqui todas as manhãs já seria deprê demais. A gente vai sumir com toda essa porcaria. — Ela chuta um coelhinho de chenile, que estava dormindo no meu robe no chão. — E se livrar dessas cortinas. Talvez a gente possa ir fazer compras juntas. Você pode pegar o cartão de crédito da sua mãe? — A Heather puxa com força as cortinas para um lado. — E vamos ter que lavar essas janelas. Verde-água e sálvia, esse seria um look legal para você, clássico e feminino.

Eu: — Não.

Heather: — Está pensando num tom mais vivo, tipo berinjela ou azul-cobalto?

Eu: — Não, eu ainda não decidi que cores vou escolher. Não, o que eu quis dizer foi que não, não vou ajudar você.

Ela despenca na cadeira de novo. — Você tem que me ajudar.

Eu: — Não, não tenho.

Heather: — Mas, por quêêê...... êêêêê?

Mordisco o lábio. Será que ela quer saber a verdade, que é egocêntrica e fria? Que espero que todos os alunos do último ano esculachem ela? Que odeio verde-água e, além disso, não é da conta dela se as minhas janelas estão sujas? Sinto focinhos pontudos nas minhas costas. Os coelhinhos dizem que devo ser boazinha. Mentir.

Eu: — Tenho um compromisso. O cara da árvore está vindo cuidar do carvalho e preciso escavar o jardim. Além disso, sei perfeitamente o que é que eu tenho que mudar aqui, e berinjela nem pensar.

Quase tudo é meia verdade, o compromisso não chega a ser obrigatório. A Heather faz uma careta. Abro a janela suja para deixar entrar ar fresco. A brisa sopra os cabelos do meu rosto. Digo para a garota que ela precisa ir embora pois eu preciso fazer uma faxina. Ela mete um cookie na boca e nem se despede da minha mãe. Nojenta.

COMUNICAÇÃO 101

Estou mandando bem. Arrasando. Não sei o que é: se a forma como enfrentei a Heather e plantei sementes de calêndula, ou talvez a expressão da minha mãe quando perguntei se ela me deixaria redecorar o meu quarto. Chegou a hora de enfrentar uns demônios. Sol demais depois de um inverno rigoroso afeta sua cabeça de um jeito estranho, faz com que você se sinta forte, mesmo quando não é.

Preciso falar com a Rachel. Não posso fazer isso na aula de álgebra, e o Monstro fica esperando por ela do lado de fora da aula de inglês. Mas a gente tem estudo dirigido no mesmo horário. É isso aí. Eu a encontro semicerrando os olhos na frente de um livro de letras mínimas, na biblioteca. Ela é vaidosa demais para usar óculos. Proíbo meu coração de sair em disparada corredor afora e me sento do lado dela. Nenhuma bomba nuclear explode. Um bom começo.

A Rachel me olha, inexpressiva. Tento dar um sorriso tamanho médio. — E aí — digo. — Hmm — murmura ela. Nenhum beicinho amuado, nenhum gesto grosseiro com as mãos. Até agora, tudo bem. Olho para o livro que ela está copiando (palavra por palavra). É sobre a França.

Eu: — Dever de casa?

Rachel: — Mais ou menos. — Ela dá umas batidinhas com o lápis na mesa. — Estou indo para a França agora no verão com o Clube Internacional. A gente tem que fazer um trabalho para provar que está super a fim mesmo de participar.

Eu: — Legal. Quer dizer, você sempre falava em viajar, desde que a gente era pequena. Lembra quando a gente estava na quarta série e leu *Heidi*, aí tentamos derreter queijo na sua lareira?

A gente ri meio alto demais. Não é lá muito engraçado, mas nós duas estamos nervosas. Um bibliotecário aponta o dedo para nós. Alunas más, alunas muito muito más! Nada de rir. Olho para as anotações dela. Uma zona total, alguns fatos sobre Paris decorados com um esboço da Torre Eiffel, corações e as iniciais R.B + A.E. Que nojo.

Eu: — Então, você está saindo mesmo com ele. Com o Andy. Fiquei sabendo da Festa de Formatura.

A Rachel dá um sorriso tão lento quanto mel escorrendo. Ela se espreguiça, como se a simples menção do nome dele despertasse os seus músculos e fizesse sua barriga se contrair. — Ele é o máximo. Superlegal, lindo de morrer, gostoso. — Rachel para. Está conversando com a leprosa do vilarejo.

Eu: — O que é que você vai fazer quando ele for para a universidade?

Uiii, uma flecha no ponto fraco. Nuvens carregadas tapam o sol. — Não posso nem pensar nisso. Dói demais. O Andy disse que ia falar com os pais, para que o deixassem pedir transferência para cá. Ele pode estudar nas universidades aqui da região. Eu vou esperar por ele.

Fala sério!

Eu: —Vocês estão saindo, tipo o quê, duas semanas? Três?

O vento da frente fria que se aproxima sopra do lado de fora da biblioteca. Ela se endireita e fecha com força a capa do caderno.

Rachel: — O que é que você quer, afinal?

Antes que eu possa responder, o bibliotecário reage. A gente pode muito bem continuar a conversa na sala do diretor ou ficar e calar a boca. A escolha é nossa. Pego o meu caderno e escrevo para a Rachel.

Legal conversar com você de novo. Sinto muito não sermos mais amigas. Passo o caderno para ela. Ela amansa um pouco e escreve de volta.

É, eu sei. E aí, de quem é que você está a fim?

De ninguém, na verdade. O meu Parceiro de Laboratório é até legal, mas, tipo assim, como amigo mesmo, não como namorado ou ficante.

A Rachel balança a cabeça, com ar de entendida. Ela vem saindo com um cara do último ano. Então já passou da fase das relações de amizade com calouros. Está assumindo o controle de novo. Hora de eu puxar o saco dela.

Você ainda está brava comigo?, escrevo.

A Rachel desenha rapidamente um raio.

Não, acho que não. Já passou. Ela para e desenha um círculo em espiral. Estou parada na beirada e me pergunto se vou cair dentro. *Tudo bem que a festa meio que saiu de controle*, prossegue. *Mas foi uma idiotice chamar a polícia. A gente podia ter simplesmente ido embora.* Ela passa o caderno para mim.

Desenho um círculo em espiral no sentido contrário ao traçado pela Rachel. Eu podia deixar por isso mesmo, parar no meio da estrada. Ela está falando comigo de novo. Tudo o que tenho a fazer é deixar os podres escondidos e andar de braços dados com ela, rumo ao pôr do sol. A Rachel ergue os braços para ajeitar a presilha do cabelo. Vejo que está escrito "R.B. + A.E.", com caneta vermelha, na parte interna do antebraço dela. Respire fundo, um-dois-três. Exale, um-dois-três. Obrigo a minha mão a relaxar.

Eu não liguei para a polícia para acabar com a festa, escrevo. *Liguei* — Solto a caneta. Pego outra vez. *Liguei porque um cara me estuprou sob as árvores. Fiquei sem saber o que fazer.* Ela me olha enquanto desabafo. E se aproxima de mim. Escrevo mais. *Eu estava meio lesa e bêbada, não sabia o que estava acontecendo, aí ele me machucou* — rabisco isso — *me violentou. Quando a polícia chegou, todo mundo estava gritando, daí eu fiquei superapavorada, saí por uns fundos de quintais e fui andando até em casa.*

Empurro o caderno na direção dela. A Rachel olha fixamente para as palavras. Rodeia a mesa com a cadeira e se senta do meu lado.

Deus do Céu, eu sinto muito, muito mesmo, escreve. *Por que é que você não me contou?*

Eu não consegui contar para ninguém.

A sua mãe sabe?

Faço que não com a cabeça. Lágrimas brotam de alguma fonte oculta. Droga. Dou uma fungada e enxugo os olhos com a manga da blusa.

Você engravidou? Ele tinha alguma doença? Deus do Céu, você está bem???????????

Não. Acho que não. Estou bem, sim. Quer dizer, mais ou menos.

Rachel escreve com a mão pesada, depressa. *QUEM FOI QUE FEZ ISSO?*

Viro a página.

Andy Evans.

— Mentirosa! — Ela se levanta de supetão e pega os livros na mesa. — Eu não acredito. Você está é com inveja. Não passa de uma doida, uma pervertida e como está com inveja porque sou popular e vou à festa de formatura, vem envenenar o cara. E foi você que me mandou aquele bilhete, não foi? Sua doente!

A Rachel se vira para confrontar o bibliotecário. — Estou indo para a enfermaria — informa. — Acho que vou vomitar.

SALA DE BATE-PAPO

Estou parada na saída, observando os ônibus. Não quero ir para casa. Não quero ficar aqui. Eu me enchi de esperança no meio da conversa com a Rachel — um vacilo da minha parte. Foi como sentir o aroma da ceia de Natal perfeita e em seguida ter a porta batida na cara, ficando sozinha do lado de fora, no frio.

— Melinda. — Escuto o meu nome. Ótimo. Agora dei para ouvir coisas. Talvez eu devesse pedir à orientadora educacional que me indicasse um psicólogo ou um analista xereta. Não conto nada para ninguém e me sinto péssima. Conto para alguém e me sinto pior ainda. Estou achando difícil encontrar o meio termo.

Alguém toca no meu braço com suavidade. — Melinda? — É a Ivy. — Pode pegar o último ônibus? Quero mostrar uma coisa para você. — Caminhamos juntas. Ela me leva até o banheiro, aquele em que lavou a minha blusa, a qual, por sinal, continua com riscos de canetinhas, mesmo depois da água sanitária. A Ivy aponta para a cabine. — Dá só uma olhada.

FUJAM DELES:

Andy Evans

Ele é um asqueroso.

Ele é um FDP.

Fujam desse cara!!

Ele devia ser preso.

Ele se acha.

Chamem a polícia.

Como se chama aquele remédio que dão para os pervertidos ficarem broxas?

Diproseiláoquê.

Ele devia tomar toda manhã com suco de laranja. Eu fui ao cinema com ele — o cara tentou meter a mão na minha calcinha durante os TRAILERS!

E tem mais comentários. Canetas diferentes, letras distintas, conversas entre algumas pichadoras, flechinhas indicando parágrafos mais longos. É melhor que um outdoor no meio da rua.

Estou nas nuvens.

PODANDO

Na manhã seguinte, sábado, sou acordada pelo barulho de uma motosserra, o ruído penetrando nos meus ouvidos e derrubando meus planos de dormir até mais tarde. Dou uma espiada pela janela. Os jardineiros, os três caras que o meu pai contratou para podar os galhos mortos do carvalho, estão parados diante da árvore, um acelerando o motor da motosserra como se fosse um carro esporte, o outro inspecionando a árvore. Desço para tomar café da manhã.

Ver desenho na TV está fora de cogitação. Preparo uma xícara de chá e vou ficar junto com meu pai e um grupo de crianças do bairro, observando da entrada. Um dos jardineiros sobe feito um macaco na copa verde-clara, em seguida iça a motosserra (desligada), amarrada na ponta de uma corda grossa. Ele começa a trabalhar, podando a madeira morta como um escultor. "Brrrrrrrommm." A motosserra corrói o carvalho, e os galhos despencam na grama.

Serragem rodopia no ar. Seiva goteja das feridas abertas do tronco. Ele está matando a árvore. Só vai deixar um toco. Ela está morrendo. Não há o que dizer nem fazer. Observamos em silêncio conforme os pedaços da árvore vão caindo no solo úmido.

O assassino da motosserra desce com um balanceio e um largo sorriso. Ele não está nem aí. Um garotinho pergunta para o meu pai por que o homem está derrubando a árvore.

Meu pai: — Ele não está derrubando nem matando o carvalho e sim salvando-o. Aqueles galhos estavam mortos há muito tempo por causa de uma praga. As plantas são assim. Quando se poda a parte estragada, novos galhos saudáveis voltam a crescer. Vai ver só: até o final do verão, esta será a mais forte do quarteirão.

Odeio quando o meu pai finge saber mais do que sabe. Ele vende apólices de seguro. Não é um guarda-florestal, não faz a menor ideia de como lidar com árvores. O jardineiro liga o triturador de madeira na parte de trás do caminhão. Pra mim, chega. Já vi o bastante. Pego a minha bicicleta e me mando.

Paro primeiro no posto de gasolina, para encher os pneus. Nem me lembro da última vez que andei de bicicleta. A manhã está agradável, o sábado rola preguiçoso. O estacionamento do supermercado está lotado. Nos fundos da escola de ensino fundamental, tem gente jogando softball, mas eu não paro para ver. Subo a colina e passo pela casa da Rachel, depois pelo colégio. A descida é uma ladeira rápida e fácil. Lanço o desafio para mim mesma de tirar as mãos do guidom.

Desde que eu mantenha a velocidade, a roda da frente girará reta. Viro à esquerda e depois à esquerda de novo, seguindo as colinas sem me dar conta do local para onde estou indo.

Um lado meu planejou isso, uma bússola interna maliciosa, apontada para o passado. A via não é familiar, até eu vislumbrar o celeiro. Aperto com força os freios e tenho que suar para controlar a bicicleta no acostamento de cascalho. O vento bate na fiação acima. Um esquilo luta para manter o equilíbrio.

A garagem está vazia. Lê-se o nome "Rodgers" na caixa de correio. Tem uma cesta de basquete na lateral do celeiro. Não me lembro disso, mas teria sido difícil vê-la no escuro. Empurro a bike ao longo dos limites da propriedade até onde as árvores absorvem o sol e a apoio numa cerca prestes a desmoronar. Sento no solo frio e sombreado.

Meu coração bate forte, como se eu continuasse pedalando ladeira acima. Minhas mãos tremem. É um lugar totalmente comum, longe do celeiro e da casa, perto o suficiente da rua para que eu possa ouvir os carros passando. Um monte de pedacinhos de casca de noz de carvalho se espalham pelo solo. Daria para trazer uma turma da pré-escola aqui, para um piquenique.

Penso em me deitar. Não, isso não. Então me agacho perto do tronco, toco com os dedos a casca, buscando um código em Braille, uma pista, uma mensagem sobre como voltar a viver depois da minha longa hibernação sob a neve. Eu sobrevivi. Estou aqui. Abalada e confusa, mas estou aqui. Então, como posso encontrar o meu caminho? Será que existe uma motosserra de alma, um machado que eu possa levar até as minhas lembranças e medos? Enfio os dedos na terra e a aperto. Uma parte diminuta e pura de mim aguarda o momento em que vai aquecer e brotar à superfície. Uma Melindamenina tranquila que não encontro há meses. É essa semente que farei germinar.

PERAMBULANDO

Quando volto para casa, está na hora do almoço. Faço dois sanduíches de salada de ovo e tomo um copão de leite. Como uma maçã e coloco os pratos na lava-louças. É só uma da tarde. Acho que eu devia fazer uma faxina na cozinha e passar o aspirador, mas as janelas estão abertas e os tordos cantam no jardim da frente, onde uma pilha de folhas secas me chama e me aguarda.

Minha mãe fica impressionada quando estaciona o carro na hora do jantar. O gramado da frente foi limpo e aparado, e não ficou nenhuma folha caída debaixo dos arbustos. E eu nem estou ofegante. Ela me ajuda a levar os móveis de plástico do porão até o terraço, e eu passo água sanitária neles. Meu pai traz pizza, e a gente come no terraço. Minha mãe e ele bebem iced tea. Não resmungam nem fazem comentários sarcásticos. Coloco os pratos na lava-louças e jogo a caixa de pizza no lixo.

Deito no sofá para ver TV, mas meus olhos fecham e caio no sono. Quando acordo, já passa da meia-noite, e alguém me cobriu com uma manta de lã. A casa está escura e silenciosa. Uma brisa suave passa por entre as cortinas.

Acabo despertando totalmente. É como se eu estivesse com um formigamento na pele — uma comichão, é o que a minha mãe diria. Não consigo parar quieta. Tenho que fazer alguma coisa. A minha bicicleta continua apoiada na árvore podada no jardim da frente. Preciso dar uma volta.

Para cima e para baixo, de um lado para o outro, pedalo, com as pernas doloridas, pelas ruas de uma área residencial quase adormecida. Dá para ver as luzes de algumas TVs ligadas até tarde brilhando nas janelas dos quartos. Ainda tem alguns carros estacionados na frente do supermercado. Visualizo as pessoas passando pano no chão, reempilhando pães. Passo pelas casas de garotas que eu conhecia: Heather, Nicole. Dobro a esquina, diminuo a marcha e pedalo com mais força, subindo a ladeira até a casa da Rachel. As luzes estão acesas, os pais dela aguardando a volta dos graciosos participantes da festa de formatura. Eu podia bater na porta e perguntar se estariam a fim de jogar cartas ou algo assim. Que ideia.

Pedalo como se tivesse asas. Não estou cansada. Acho que nunca mais vou precisar dormir.

PÓS-FESTA DE FORMATURA

Já na segunda de manhã, a festa se torna lendária. O drama! As lágrimas! A paixão! Por que é que até agora ninguém fez um reality sobre isso? Os estragos finais incluíram uma lavagem estomacal, três rompimentos de namoros longos, um brinco de brilhantes perdido, quatro festas escandalosas em quartos de hotel e, ao que parece, cinco tatuagens iguais decorando os traseiros dos representantes de turma do último ano. Os orientadores educacionais estão comemorando a total ausência de acidentes fatais.

A Heather não apareceu no colégio hoje. Todo mundo está reclamando da decoração brega dela. Aposto como vai faltar, dizendo que está doente, o resto do ano. A garota deveria se mandar e se alistar na Marinha agora. Eles vão ser muito mais condescendentes com ela que um bando de Marthas furiosas.

A Rachel está feliz da vida. Largou o Andy no meio da festa de formatura. Estou tentando reconstituir o que aconteceu de acordo com os boatos. Dizem que o casalzinho discutiu durante uma música lenta. Falaram que ele estava, tipo assim, sarrando a garota, na maior pegação, passando a mão e a língua em tudo quanto era lugar. Enquanto dançavam, o cara começou a se esfregar nela, daí a Rachel se afastou. Quando a música acabou, ela o xingou. Contaram que ela quase meteu a mão na cara dele, mas se controlou. O Andy ficou olhando ao redor, com a maior cara de inocente, e a Rachel saiu batendo pé até a galera do intercâmbio. Acabou dançando a noite toda com um sujeito de Portugal. Dizem que o Andy anda cabisbaixo desde então. Ele encheu a cara numa festinha e acabou desmaiando em cima de uma tigela de caldinho de feijão. A Rachel queimou tudo o que ele deu para ela e deixou as cinzas no armário dele, na escola. Os amigos ficaram tirando o maior sarro da cara dele.

Exceto pela fofoca, não faz muito sentido ir para o colégio. Bom, vão rolar as provas finais, mas agora é tarde para salvar o ano. A gente tem — o quê? Mais duas semanas de aula? Às vezes eu acho que o ensino médio é um trote prolongado: se você for forte o bastante para sobreviver a esse período, vão deixar que se torne adulta. Tomara que valha a pena.

PRESA

Estou esperando o relógio acabar com a sessão de tortura-por-álgebra diária quando KABUM!!! — despenca um pensamento na minha cabeça: não quero mais ficar lá no meu miniesconderijo. Olho para trás, meio que esperando que um cara da última fileira, com sorrisinho debochado, tenha jogado uma borracha em mim. Mas não — a galera de trás está se esforçando para ficar acordada. Sem sombra de dúvida fui atingida por uma ideia. Não quero mais ficar me escondendo. Uma brisa passa pela janela e faz meus cabelos esvoaçarem, jogando-os para trás e fazendo cócegas nos meus ombros. Esse é o primeiro dia quente o bastante para se usar camiseta sem manga. Até parece verão.

Depois da aula, sigo a Rachel. O Andy está esperando por ela. A garota ignora totalmente o Monstro. O garoto de Portugal, ora pois pois, é O CARA agora. YES! Duas vezes YES! Bem feito, seu canalha. A galera observa o Andy, mas ninguém se dá ao trabalho de parar para falar com ele. O sujeito segue a Rachel e a Greta-Ingrid pelo corredor. Estou alguns passos atrás. A Greta-Ingrid se vira e diz para o Andy exatamente o que ele devia fazer consigo mesmo, saca? Impressionante. A habilidade linguística dela evoluiu muito este ano. Estou pronta para fazer a dança da vitória.

Vou até o cubículo depois da aula. Quero levar o pôster da Maya Angelou para casa. Também pretendo guardar uns desenhos de árvores e a escultura de ossos de peru. Os outros cacarecos podem ficar, desde que não tenham o meu nome. Quem sabe algum outro aluno pode precisar de um lugar seguro para frequentar no ano que vem.

Não consegui acabar com aquele mau cheiro. Deixo a porta entreaberta para respirar. É difícil tirar os desenhos da parede sem rasgá-los. O dia está cada vez mais quente e o ar não circula aqui dentro. Abro ainda mais a porta — quem é que vai passar a essa hora? Nesta época do ano, os professores se mandam mais rápido que os alunos quando o último sinal toca. Só quem fica é a galera das equipes esportivas espalhadas nos campos de treinamento.

Não sei o que fazer com o edredom. Está velho demais para levar para casa. Deveria ter dado um pulo no corredor dos armários primeiro, para pegar a minha mochila — esqueci que tenho livros aqui. Dobro o edredom e o coloco no chão, apago a luz e vou saindo de fininho para ir até os armários. Alguém dá um encontrão em mim e me faz recuar e entrar de novo no cubículo. A luz acende e a porta fecha.

Estou presa com Andy Evans.

Ele me olha fixamente, sem dizer nada. Não é tão alto quanto eu lembrava, mas continua asqueroso. A lâmpada forma sombras sob os olhos dele. O cara é feito de placas de pedra e exala um cheiro que me faz ter medo de fazer xixi na calça. Começa a estalar os dedos. As mãos são enormes.

Andy Monstro: —Você é uma linguaruda, não é não? A Rachel me largou na festa, depois de vir com um papo furado de que eu tinha te estuprado. Você sabe que é mentira. Eu nunca estuprei ninguém. Até porque nem preciso. Você queria tanto quanto eu. Mas aí, como ficou magoadinha, começou a espalhar mentiras, e agora todas as garotas do colégio estão falando de mim como se eu fosse um maníaco. Você anda espalhando essa merda há semanas. Qual é o problema, baranga, está com ciúmes? Não consegue encontrar um macho?

Suas palavras caem como pregos no chão, pontudas e perfurantes. Tento circundá-lo. Ele bloqueia a passagem. — Hum-hum. Você não vai a parte alguma. Conseguiu me ferrar, né? — Andy estende o braço e tranca a porta. Clique.

Eu:

—Você não passa de uma vadiazinha monga, sabia? Pancada das ideias! Nem posso acreditar que alguém deu ouvidos a você. — Ele agarra os meus pulsos. Tento me desvencilhar, mas o cara me aperta com tanta força que acho que os meus ossos estão partindo. Aí me imprensa contra a porta fechada. Maya Angelou olha para mim. E me diz para fazer o maior escândalo. Abro a boca e respiro fundo.

Monstro: —Você não vai gritar. Sabe por que você não gritou na festinha? Porque gostou. Está é com ciúmes porque levei a sua amiga para sair e não você. Já sei o que é que você quer.

A boca dele encosta no meu rosto. Viro a cabeça. Os lábios dele são molhados, os dentes batem no meu rosto. Puxo os braços de novo, e ele pressiona o corpo contra o meu. Não tenho pernas. Meu coração dispara. Os dentes dele estão no meu pescoço. O único som que sai da minha boca é um gemido. O Andy se esforça para segurar os meus pulsos com uma das mãos. Quer uma delas livre. Eu lembro eu lembro. Mãos de aço, mãos que parecem lâminas incandescentes.

Não.

Um som sai explodindo de dentro de mim.

"NNNNÃÃÃOOO!!!"

Ajo junto com o som, afastando-me da parede, empurrando o Andy Evans e fazendo com que ele perca o equilíbrio e caia na pia quebrada. Ele trageja e se vira, o punho chegando perto, chegando perto... Um estouro na minha cabeça e sangue na minha boca. Ele bateu em mim. Eu grito, grito. Por que as paredes não estão caindo? Estou berrando com força o bastante para fazer o colégio inteiro desabar. Tento agarrar alguma coisa, então pego o meu potinho de pot-pourri — arremesso contra ele, e o pote ricocheteia, caindo no chão. Jogo os meus livros. O Andy trageja de novo. A porta está trancada a porta está trancada. Ele me agarra e me puxa para longe da porta, com uma das mãos na minha boca, a outra agarrando o meu pescoço. Então me inclina na pia. Meus punhos não significam nada para ele, patinhas de coelho dando tapas inofensivos. Os músculos dele subjugam os meus.

Os meus dedos tateiam no alto, em busca de um galho, uma protuberância, algo em que me agarrar. Uma placa de madeira — a base da minha escultura de ossos de peru. Bato com a placa com força no pôster da Maya. Escuto um baque. O TROÇO não ouve. O TROÇO resfolega como um dragão. O TROÇO tira a mão do meu pescoço e ataca o meu corpo. Bato a placa de novo no pôster e no espelho debaixo dele.

Estilhaços de vidro escorregam pela parede e caem na pia. O TROÇO se afasta de mim, confuso. Estendo a mão e agarro um fragmento de espelho. Encosto-o no pescoço dele. O cara congela. Empurro com força o bastante para arrancar sangue. Ele levanta os braços. Minha mão treme. Quero enfiar o caco inteiro na garganta dele, quero ouvir o Andy gritar. Olho para cima. Vejo a barba por fazer no queixo dele, uma saliva esbranquiçada no canto da boca. Os lábios estão paralisados. Ele não consegue falar. Isso basta.

Eu: — Eu disse não!

O Andy balança a cabeça. Alguém bate com força na porta. Eu a destranco, e ela abre. A Nicole está lá, junto com o time inteiro de lacrosse — suadas, furiosas, com os tacos erguidos. Alguém sai correndo para buscar ajuda.

VERSÃO FINAL

O prof. Freeman está se recusando a entregar as notas no prazo. Elas deviam ter sido lançadas quatro dias antes do término das aulas, mas ele não viu sentido nisso. Então, estou ficando depois da aula no último dia para tentar pela última vez fazer a minha árvore direito.

O professor está fixando um mural sobre o quadro de notas. Ele não tocou na linha em que se encontra o meu nome, mas eliminou todo o resto com um rolo de pintura e tinta branca de secagem rápida. Cantarola enquanto mistura cores na paleta. Quer pintar um nascer do sol.

Vozes das férias de verão ressoam pela janela aberta. As aulas estão quase acabando. No corredor se ouvem portas de armários batendo e gritos de "Vou sentir saudades — tem o meu telefone?". Aumento o volume do rádio.

A minha árvore com certeza está respirando; respirações rápidas e superficiais, como se tivesse acabado de brotar do solo hoje de manhã. Esta aqui não é perfeitamente simétrica. A casca se mostra irregular. Tento dar a impressão de que iniciais foram talhadas nela há muito tempo. Um dos galhos mais baixos está doente. Se essa árvore realmente vive em algum lugar, é melhor esse galho cair logo, ou vai acabar matando-a. Tem umas raízes nodosas em cima do solo, e a copa busca o sol, grande e saudável. A nova vegetação é a melhor parte.

A fragrância de lilás flui pelas janelas abertas, junto com algumas abelhas indolentes. Eu entalho, e o prof. Freeman mistura laranja com vermelho para conseguir o tom certo de amanhecer. Pneus cantam ao sair do estacionamento, outra despedida de um aluno sóbrio. Como estou com um pé no curso de verão, não tenho pressa. Mas quero terminar esta árvore.

Algumas alunas do último ano entram. O prof. Freeman as abraça com cuidado, seja porque está sujo de tinta, seja porque professor abraçando aluna pode dar confusão. Sacudo a franja do rosto e observo por entre as mechas. Eles conversam sobre a cidade de Nova York, onde fica a universidade para onde elas vão. O professor anota alguns nomes de restaurantes e números de telefone. Diz que tem muitos amigos em Manhattan e que deveriam marcar um café da manhã reforçado qualquer domingo desses. As garotas — as mulheres — dão pulinhos e exclamam "Não dá nem para acreditar que isso está realmente acontecendo!". Uma delas é a Amber Cheerleader. Vai entender.

As alunas do último ano olham para mim antes de ir embora. Uma delas, não a cheerleader, balança a cabeça e diz: — Mandou bem. Espero que você esteja legal. — Com apenas algumas horas faltando para o término do ano letivo, eu me tornei, de repente, popular. Graças às fofoqueiras do time de lacrosse, todo mundo já tinha ficado sabendo do ocorrido antes mesmo do pôr do sol. Minha mãe me levou para o hospital para que eu levasse pontos no corte da mão. Quando voltei para casa, tinha uma mensagem da Rachel na secretária eletrônica. Quer que eu ligue para ela.

Minha árvore precisa de alguma coisa. Vou até a mesa e pego um pedaço de papel pardo e um giz. O prof. Freeman conversa sobre galerias de arte, e eu tento desenhar aves — tracinhos coloridos no papel. É difícil com a mão enfaixada, mas fico tentando. Eu as esboço sem pensar — voo, voo, pena, asa. Água respinga no papel, e os pássaros ganham vida em meio à luz, as penas se expandindo, promissoras.

O TROÇO é real. Não há como negar, nem esquecer. Tampouco como sair correndo, fugir, enterrar, esconder. O Andy Evans me estuprou em agosto, quando eu estava bêbada e era jovem demais para me dar conta do que estava acontecendo. Não foi culpa minha. Ele me machucou. Não foi culpa minha. E não vou deixar que isso me mate. Posso crescer.

Observo o meu esboço amador. Não precisa de nada. Mesmo através do rio que desliza sobre meus olhos, constato isso. Não é perfeito, e justamente por isso está como devia ser.

Toca o último sinal. O professor se aproxima da minha mesa.

Prof. Freeman: — Acabou o tempo, Melinda. Está pronta?

Entrego o desenho. Ele o pega e examina. Dou uma fungada e enxugo os olhos com um dos braços. Os hematomas são nítidos, mas vão desaparecer.

Prof. Freeman: — Nada de chorar na minha sala. Estraga o material. Sal, sabe como é, essa solução salina. Corrói como ácido. — Ele se senta no banco ao meu lado e devolve a árvore. — Você vai ganhar A+. Batalhou muito para chegar até aqui. — Em seguida, o professor me passa uma caixa de lenços de papel. — Você enfrentou muita coisa, não é mesmo?

As lágrimas derretem o último bloco de gelo entalado na minha garganta. Sinto o silêncio frio se derretendo na minha alma, gotejando fragmentos de gelo que se dissipam numa poça repleta de raios de sol no chão manchado. As palavras vem à tona.

Eu: — É. Vou te contar.

EXTRAS

É O SEGUINTE...

No final de 1996, acordei depois de um pesadelo, pensando na personagem que se tornaria Melinda Sordino em *Fale!*. Nunca imaginei que o livro seria publicado, mas foi. Mais de um milhão de pessoas o leram. Vai entender.

Algumas vezes por semana, nos últimos dez anos, leitores me perguntaram quando escreverei a sequência de *Fale!*.

Bem, na verdade, essa informação não está de todo correta.

Algumas vezes por *dia*, quase diariamente nos últimos dez anos, os leitores me perguntaram quando eu escreveria a sequência deste livro. Muitos deles sugeriram ideias para argumentos. Eu poderia escrever sobre o julgamento, quando Andy Evans seria condenado pelo estupro de Melinda e preso. Eu poderia escrever sobre as sessões de análise de Melinda, nas quais ela confrontaria os pais sobre a negligência emocional deles. Ou então eu poderia fazê-la enfrentar um novo trauma: ela poderia começar a usar metanfetamina, ter amnésia após um acidente de carro ou ser raptada por um bando de pervertidos, ou, ou, ou...

A minha sugestão favorita veio de um rapaz do sul da Califórnia, um aluno do primeiro ano, que me sugeriu que eu escrevesse sobre como ela teria concluído o ensino médio sem matar ninguém. E deveria intitular a sequência de *Falou!*.

Na verdade, até que não é má ideia.

Acontece o seguinte: a maioria das sequências é péssima. Vejam (se forem capazes) *Jurassic Park 2*, *Tubarão 4* ou *Rambo 15*. As sequências são quase sempre tentativas canhestras de ganhar dinheiro com algo que deu certo da primeira vez, mas sem o cuidado e a atenção que tornaram o primeiro filme ou livro tão especial.

As sequências de livros parecem funcionar melhor quando o autor as planeja desde o início e deixa algumas tramas pendentes, que podem ser reutilizadas e tecidas em uma nova trama. Sim, eu sei que não finalizei tudo no apagar das luzes de *Fale!*. Quase nunca faço isso nos meus livros. Gosto que as minhas páginas finais se mostrem um tanto indefinidas, porque é assim que as coisas ocorrem na vida real.

Mas, apesar de tudo o que eu disse acima, é o seguinte: estou considerando seriamente escrever uma sequência. Venho pensando nisso há muito tempo. Adorei contar a história de Melinda, e seria ótimo passar algum tempo com ela de novo. Nós chegamos a vislumbrá-la em *Catalyst*, mas pelos olhos de outra personagem, Kate Malone. Mas ela não conseguiu nos dizer o que acontecia dentro do coração de Melinda.

Em algumas ocasiões tenho a sensação de que Melinda está se escondendo em outro cubículo, dessa vez em minha mente. Ela tem aguardado que eu encontre o caminho certo até sua porta. Há uma série de perguntas. Quão sério é seu relacionamento com David Petrakis? Ela terá um dia uma amiga em quem confiar? A arte é sua única salvação, ou ela entrará para o time de basquete? Os pais dela vão se separar? Será que ela seria mais feliz se eles o fizessem, ou ficaria abalada? Qual profissão ela abraçaria? O que gostaria de fazer após concluir o ensino médio?

Portanto, para encerrar: não posso escrever uma sequência até deparar com a história certa e Melinda me acordar de novo no meio da madrugada. O que pode nunca acontecer. Ou acontecer no ano que vem. Ou, muito provavelmente, acontecer em algum ponto entre essas duas possibilidades.

Quando Melinda estiver pronta, eu falo!

LAURIE HALSE ANDERSON
FALA SOBRE FALEI

Como lhe ocorreu a personagem Melinda?

Em um pesadelo! Acordei uma noite — em pânico — porque ouvia uma garota chorando. Dei uma olhada nas minhas filhas, mas elas dormiam profundamente. A menina aos prantos estava na minha cabeça, um sonho ruim. Eu me sentei ao computador e escrevi o que estava ouvindo. Na manhã seguinte, escutei aquela voz de novo, e a personagem Melinda Sordino surgiu. Quando comecei a escrever, não fazia a menor ideia do que tinha acontecido com ela. Foi somente quando ela se sentiu à vontade comigo, que revelou seu segredo.

Como foi o processo de escrita e preparação do texto?

A voz de Melinda se manteve forte o tempo todo. No início, cheguei a considerar a ideia de fazê-la totalmente muda, mas nos dias de hoje isso teria provocado intervenções médicas e psicológicas. Decidi então deixá-la retraída, falando o mínimo possível. Há muitos jovens por aí na condição dela — lutando contra a depressão, à beira de uma tragédia —, mas ninguém presta atenção, a menos que tomem uma atitude drástica. Isso me deixa tão furiosa, que poderia gritar... ou, melhor ainda, escrever um livro.

O processo de preparação se concentrou na estrutura, em fazer com que a luta e o crescimento de Melinda se desenrolassem no ritmo certo, conforme o ano letivo avançava. As partes dos feriados estão entre as minhas favoritas. O final exigiu bastante tempo. Eu tinha três outras possibilidades, todas ridículas e inverossímeis. Tive que fazer um esforço enorme, junto com Melinda, para encontrar o desfecho certo para o livro. Estou bastante satisfeita agora.

A personagem Heather fazia parte, antes, de uma dupla. Quando fiz a preparação, me dei conta de que as duas garotas vinham desempenhando o mesmo papel, então decidi juntá-las, formando uma só. O personagem do prof. Freeman se mostrou insípido nos esboços iniciais, por isso acabei lhe dando a própria obra de arte com a qual lidar, na esperança de aprofundá-lo.

Seus diálogos são certeiros — como consegue captar tão bem as vozes internas e externas dos alunos do ensino médio?

Hoje em dia seria facílimo, pois a minha casa vive cheia de adolescentes. No entanto, quando escrevi *Fale!*, os meus filhos ainda estavam no ensino fundamental. Para ter uma noção do ritmo dos diálogos no ensino médio, passei bastante tempo em lanchonetes e nas praças de alimentação dos shoppings. Vamos evitar conversar sobre o efeito dessas pesquisas de campo sobre a minha cintura...

Também encontrei uma parte da voz de Melinda em minha própria experiência no ensino médio. As emoções não mudam muito de geração para geração. Só é preciso acertar nos detalhes.

Então quanto de Melinda se baseia na senhora?

Meu primeiro ano do ensino médio foi parecido com o de Melinda. Minha família tinha se mudado no verão anterior, de modo que comecei o ano sem conhecer ninguém. A minha situação não era nada fácil, minha família enfrentava uma pequena crise doméstica. Meu pai pedira demissão do emprego por bons motivos, mas se sentia bastante infeliz. Estávamos com pouco dinheiro, em um lugar novo, e o mundo parecia estranho e assustador. No lado positivo, essa sensação de isolamento deu a mim (e a Melinda) uma perspectiva útil em relação aos absurdos da cultura no ensino médio.

Alguns acontecimentos de *Fale!* foram tirados de minha vida real. Fui a tapada na aula de literatura que questionou a professora a respeito do simbolismo e se recusou a aceitar a resposta dela. Meu pai enterrou diversos experimentos tóxicos de ensopados no jardim (sério!). A mascote na vida real do meu ensino médio foi (e é) uma vespa. E, sim, costumávamos cantar Nossa Picada É Fogo, embora as cheerleaders não tivessem uma coreografia específica nem houvessem sido filmadas por um canal de televisão.

Qual foi sua maior surpresa desde a publicação da obra?

O fato de tantas pessoas terem se apaixonado por ela.

O que a senhora aprendeu quanto às reações de seus leitores em relação a este livro?

Aprendi que *Fale!* não é só uma história sobre estupro, mas sobre depressão. Por isso tantos leitores se identificaram. Os adolescentes de hoje em dia têm de lidar com doses gigantescas de estresse e conflito. Uma quantidade imensa deles entende como é dolorosa a sensação de não poder falar. Esta obra reflete sua experiência e lhes oferece esperança.

O que achou do filme? O que pode nos contar a respeito dele?

O filme é bastante fiel ao livro, mas, obviamente, algumas partes tiveram de ser cortadas. Se fossem filmar a obra inteira, teriam feito um longa-metragem de doze horas de duração. Deram-me a oportunidade de fazer o roteiro, mas eu a recusei por ter outros compromissos de produção literária. Então, ele foi escrito pela diretora Jessica Sharzer em parceria com Annie

Young, a mulher que passou anos lutando para transformar o livro em filme.

Fui ao set alguns dias, com a minha filha mais velha, Stephanie. Sem dúvida uma experiência tocante e divertida para nós. A equipe e o elenco eram uns amores, mas percebi que toda vez que o Mister Pescoço entrava em cena, eu começava a sentir dor de barriga. Embora fosse um homem agradável longe das câmeras, seu desempenho durante as filmagens era muito intenso — ele acertou em cheio. Todos acertaram. Melinda, David, o prof. Freeman — todos deram bastante força ao filme. Uma atriz desconhecida teve um desempenho incrível — embora breve — no papel da Atendente que põe o purê de batata no prato. Sim, gente, fui eu. Reparem só. Apareço por quase um segundo inteiro. Kristen Stewart, a atriz que fez o papel de Melinda, teve o trabalho mais difícil — transmitir as emoções da personagem sem falar muito. E sua atuação foi perfeita.

Adoro o filme. Muito. Jessica se saiu muito bem. Tinha uma verba de apenas um milhão de dólares (*Crepúsculo* contou com quase 40 milhões), uma câmera e três semanas para fazer o filme. As filmagens foram realizadas em Columbus, Ohio, durante uma onda de calor insuportável. O ar-condicionado da construção teve de ser desligado porque o barulho interferia com a captação de som. Um temporal sem precedentes abriu buracos no telhado da escola — em cima da sala em que estavam todas as caixas de distribuição elétrica —, e eles ficaram um dia inteiro sem energia. Não sei como Jessica fez, mas conseguiu terminar o filme.

Quais dicas a senhora dá para os que vão assistir a O silêncio de Melinda?

Muitos leitores promoveram reuniõezinhas para ver o filme. Se quiser fazer isso, eis algumas brincadeiras para você levar adiante enquanto estiver assistindo:

- Conte quantas vezes Melinda fala.
- Procure falas reproduzidas do livro.
- Descubra a qual filme famoso para adolescentes a diretora prestou uma homenagem em uma das cenas no refeitório.
- Jogue pipoca na TV toda vez que O TROÇO aparecer.
- Descubra que cenas *não* estavam no livro.
- Considere por que a diretora escolheu aquele final.

Você também pode fazer a brincadeira de Encontre a Comida:
- Bolinhos
- Purê de batata
- Rosquinhas
- Pop-tarts
- Sopa de peru (argh)
- Pizza
- Molho de maçã

Alguns leitores já lhe fizeram perguntas que a chocaram?

Há uma pergunta que os jovens me fizeram com certa frequência. São rapazes que gostaram do livro, mas que se sentem sinceramente confusos. Eles me perguntaram por que Melinda ficou tão transtornada após o estupro.

Nas primeiras dezenas de vezes, fiquei horrorizada. Mas a pergunta continuava sendo feita. Eu me dei conta de que não estavam ensinando aos rapazes o impacto da violência sexual sobre uma mulher. Eles são inundados com imagística sexual na mídia e com frequência concluem (erroneamente) que ter relações sexuais não é nada de mais. Sem dúvida alguma, isso explica por que a violência sexual é tão comum.

Também fico chocada com a quantidade de adultos que acham que o estupro é um tema que não deve ser discutido com adolescentes. De acordo com o Ministério da Justiça dos

Estados Unidos, 44% das vítimas de estupro têm menos de 18 anos, e 46% delas estão na faixa de 12 a 15 anos. Embora seja incômodo para os adultos reconhecer isso, nossa incapacidade de falar aberta e claramente sobre temas sexuais põe em risco as nossas crianças. Na verdade, imoral é não tratar disso com elas.

Como se sente ao se dar conta de que seu livro se transformou em obra paradidática em diversas escolas de ensino fundamental (séries finais), de ensino médio e universidades?

Como não fui uma excelente aluna de inglês no ensino médio, isso me diverte. E me dá esperança. Acho ótimo que os professores de inglês usem literatura contemporânea na sala de aula. Creio que eu não gostava de inglês porque não suportava os livros que me obrigavam a ler. Todos eram sobre gente monótona, de meia-idade, de cem anos atrás. Quanto desperdício!

Muitos jovens não gostam de se dedicar à leitura por serem obrigados a ler e a repetir maquinalmente livros sem nenhuma conexão com suas vidas. Admiro as instituições de ensino e professores ousados e inteligentes o bastante para encontrar obras literárias que ajudem os alunos a amadurecerem como leitores e a se tornarem indivíduos atenciosos e respeitadores.

Se eu lhe mandar um e-mail com as questões de um trabalho sobre **Fale!** *passado por meu professor, a senhora me responderá com algumas dicas a respeito de como responder a elas?*

De jeito nenhum! Uma das vantagens de ser adulto é nunca mais ter de fazer dever de casa. Não obstante, se você consultar meu site madwomanintheforest.com encontrará várias fontes relacionadas a todos os meus livros. Pode dar uma olhada também nos arquivos de meu blog, halseanderson.livejournal.com. Respondo a perguntas enviadas para o blog, e você poderá encontrar o que procura nos arquivos.

Muitos sobreviventes lhe relatam como ocorreram os abusos sexuais? Como a senhora lida com isso?

Recebi notícias de centenas e centenas de sobreviventes de abusos sexuais, tanto do sexo masculino quanto feminino. Sempre me sinto honrada quando me confidenciam suas histórias. Pode ser emocionalmente difícil escutá-los, mas isso não chega nem perto da dor que enfrentaram. Meu papel nessas situações é escutar com cuidado, confortá-los e encorajar a pessoa conversando comigo a procurar adultos confiáveis (um dos pais, um parente querido, sacerdote, orientador psicológico, professor), com os quais possam falar para obter a ajuda e os recursos de que precisam.

O que a senhora diria para quem acabou de ser vítima de violência sexual?

A Rede Nacional de Estupro, Abuso e Incesto (rainn.org) oferece os melhores recursos. Dá conselhos às vítimas que acabaram de sofrer violência sexual, bem como às que sofreram há algum tempo e vêm lutando para criar coragem de falar sobre o que aconteceu e obter a ajuda que todas merecem para remediar o ocorrido.

Que mensagem a senhora tentou passar com este livro?

Eu não mando mensagens. Tento contar boas histórias. Mas, quando se gosta de uma obra, e ela é bem escrita, sempre se aprende algo. Bons livros refletem a experiência do ser humano, e todos aprendemos com isso.

Quando a senhora soube que queria ser escritora? Qual a melhor parte dessa profissão? Qual a mais difícil?

Eu sempre escrevi por diversão. Vendi alguns contos quando tinha cerca de trinta anos, em seguida dei um jeito de conseguir uma série de trabalhos para jornais, como colaboradora. Ainda fico pasma com o fato de as pessoas me pagarem para que eu escreva. Fico esperando alguém me cutucar no ombro e anunciar que houve um engano e que tenho de voltar a ordenhar vacas. (Foi o que fiz a fim de ganhar dinheiro para ir à universidade.)

O aspecto mais difícil de ser uma autora é reservar o tempo ininterrupto de que preciso para pensar. A vida real interfere com incrível frequência. Também odeio quando as pessoas perguntam quando arrumarei um "trabalho de verdade". E acho que deveria haver uma lei proibindo vendas por telefone. Fora isso, escrever é ótimo.

Adoro deixar minha imaginação alçar voo — em algumas ocasiões ela volta para casa com coisas repulsivas no bico, noutras, traz excelentes materiais! Adoro saber que os adolescentes gostam muito dos meus livros. Amo criar a descrição, a ação ou o diálogo perfeito. A melhor parte da escrita é descobrir como conectar todas as tramas da narrativa e a imagística. Observar um personagem assumir o controle da história é bem interessante, também.

Como se dá seu processo criativo?

Já escrevi em vários lugares. Meu primeiro local de trabalho foi um closet (sério!). Então, mudei-me para o porão, o que foi uma péssima ideia. Muito deprimente. Já escrevi em cidades grandes, em bairros residenciais na periferia, em aviões, em trens e no carro durante inúmeros treinos de basquete e beisebol.

Agora moro em uma região rural e trabalho no sótão, que o meu marido construiu. Atrás da minha cadeira há uma lareira de pedra e, em cima, vigas de madeira que sustentam o telhado.

Tento acordar antes do amanhecer, para dar uma caminhada ou correr quando o sol desponta e, então, ir direto para o trabalho. Escrevo o máximo possível de horas por dia, pelo menos oito, algumas vezes até doze ou dezesseis. Meus primeiros esboços são sempre bastante rudimentares, mas tudo bem. A minha parte favorita da literatura é o processo de preparação: adoro a sensação de concluir uma cena depois de ficar mexendo nela durante semanas.

A minha vida é o meu trabalho e o meu trabalho é a minha vida. Não chego a pensar no que faço como um emprego: é o que sou.

A senhora escreve diversos livros, para todas as faixas etárias — de ilustrados a não ficção em séries e romances históricos, além de literatura infanto-juvenil contemporânea. Não há muitos autores com esse leque de atuação. Pode nos falar sobre isso? Continuará a escrever em tantos gêneros diferentes?

Como tenho uma capacidade de atenção reduzida, eu me entedio com muita facilidade. Adoro crianças, todas, das pequeninas às adolescentes. E tenho *muitas* vozes ressoando na minha mente. Algumas são, sem dúvida, de adolescentes, outras de crianças, que querem contar suas histórias. E a não ficção é interessante, já que é um desafio divertido apresentar os fatos de uma forma que cative o leitor. No decorrer de um ano, costumo escrever um romance para adolescentes e outro para crianças. Como escritora, adoro descobrir formas de chamar a atenção de leitores em estágios diferentes de desenvolvimento. Não posso nem imaginar como seria escrever apenas para uma determinada faixa etária. Eu provavelmente teria alguma erupção cutânea terrível se alguém me obrigasse a me limitar dessa forma.

Alguns de seus livros se baseiam em sua família?

Eu e meu marido temos quatro filhos. Agora (início de 2009), dois já concluíram a universidade, outro está prestes a fazê-lo e o mais novo está no primeiro ano do ensino médio. Adoro meus filhos, mas nunca os incluiria num livro. Isso seria exploração.

Os seus filhos gostam de ter uma mãe escritora?

Gostam do fato de eu ter um horário flexível, e de contarmos com tantos livros em casa. Não gostam quando preciso cumprir um prazo e escrevo doze horas por dia. E queriam que eu tivesse ganhado mais dinheiro.

O que a senhora faz no tempo livre?

Não tenho muito. Se não estou com meu marido ou viajando, estou lendo ou escrevendo. Gosto de fazer ginástica na academia e de assistir a jogos de futebol americano e basquete. Adoro atualizar meu site (madwomanintheforest.com). E gosto muito de dormir. Queria ter mais tempo para fazê-lo.

Por que a senhora não escreve um livro com um rapaz como personagem principal?

Já escrevi! Chama-se *Twisted*. Fiquei um tanto apreensiva ante a perspectiva de escrever sob o ponto de vista de um rapaz, mas acabou sendo incrível. Os meninos são criaturas fascinantes.

Recebi uma grande quantidade de correspondência comovedora de rapazes com relação a *Twisted*. Muitas das cartas são como esta:

"Eu só queria te agradecer por escrever *Twisted*. Venho considerando a possibilidade de me matar há anos... [Esta obra] me deu uma nova perspectiva em relação à vida e mostrou que a morte não é uma saída fácil. Eu me identifico com Tyler em vários aspectos, faz anos... Adoro esse livro porque agora sei que há esperança para mim e que o suicídio não é a resposta. E tem mais uma coisa, esse foi o único livro que consegui ler do início ao fim."

Isso é o que me faz acordar antes do nascer do sol todo dia, ir até o sótão e trabalhar no próximo livro.

UM COMENTÁRIO SOBRE CENSURA

Estes são tempos difíceis para educar adolescentes. Eu sei. Tive quatro deles aqui em casa. Parte do problema é que temos uma geração que foi exposta a um volume sem precedentes de comportamentos sexuais na mídia e na internet. Eles os veem, conversam sobre, seus hormônios reagem e muitos acabam se envolvendo em situações angustiantes.

A literatura é um meio seguro e tradicional, através do qual aprendemos sobre o mundo e passamos os valores de geração em geração. Livros salvam vidas.

A literatura juvenil contemporânea surpreende algumas pessoas por se tratar de um reflexo fiel da forma como os adolescentes de hoje conversam, pensam e se comportam. Mas esses livros precisam ser francos, para que o jovem leitor se conecte com eles. Os adolescentes precisam desesperadamente de adultos responsáveis e confiáveis, que criem situações por meio das quais possam discutir os temas que mais os preocupam. Ler e discutir obras é uma das formas mais eficazes de levar os jovens a refletir e a aprender sobre os desafios da adolescência.

Grande parte da censura que vejo é motivada pelo medo. Respeito isso. O mundo é um lugar bastante assustador. Um universo terrível para educar jovens, sobretudo adolescentes. Faz parte da natureza humana acalentar e proteger as crianças conforme elas vão se tornando adultas. No entanto, censurar livros que lidam com os temas complicados da adolescência não protege ninguém. Muito pelo contrário. Deixa as crianças no escuro e as torna vulneráveis.

A censura é filha do medo e mãe da ignorância. Não podemos esconder a realidade de nossos filhos. Eles precisam que tenhamos coragem o bastante para lhes dar ótimos livros, de forma que aprendam a se tornar os homens e as mulheres que queremos que sejam.

GUIA DE DISCUSSÃO

- Analise o título do livro e seu significado. Quais os papéis desempenhados pelo silêncio e pela verdade na história?

- Há uma relação entre falar e ouvir? Um pode existir sem o outro?

- O que é a amizade? Descreva os elementos importantes da relação de Melinda com Heather, Ivy, Nicole e Rachel. Ela chegou a ser, de fato, amiga delas? A amizade pode ter significados distintos para pessoas diferentes? Mencione diversos trechos do romance para demonstrar sua opinião.

- Melinda diz: "É mais fácil não dizer nada. Fechar a matraca, passar o zíper, calar o bico. Toda aquela babaquice que você escuta na TV sobre se comunicar e expressar o que sente não passa de uma mentira. Ninguém quer realmente ouvir o que você tem a dizer." Você concorda com ela? Os acontecimentos no livro reforçam ou refutam o que Melinda disse? O ponto de vista dela muda em algum momento? Como?

- O que leva Melinda a ficar calada? Do que ela tem medo?

- Analise a hierarquia social do Ensino Médio do Colégio Merryweather. Qual o papel desempenhado pelo conceito de identidade no livro? Por que pertencer a uma das inúmeras tribos é tão importante para Heather e tão irrelevante para Melinda?

- Por que Melinda se afasta das amigas? Ela tem razão em fazê-lo?

- Melinda apelida diversos personagens ao longo do livro. Fale da importância desse hábito e como ele contribui para o desenvolvimento da história e para a sua perspectiva de leitor.

- Por que acha que Melinda se refere a Andy Evans como O TROÇO no início do livro? A que altura ela começa a usar o nome dele? Por quê?

- Que lugares exercem o papel de refúgio para Melinda, no colégio? Como as características desses lugares dão uma mostra de sua personalidade?

- O que Melinda aprende na aula de artes? O que a árvore que ela passa o ano inteiro criando acaba simbolizando?

- Como David Petrakis contribui para a busca de Melinda de sua própria voz? Qual a influência exercida pelo prof. Freeman? Que papel os pais e os demais adultos exercem na jornada de Melinda?

- Apesar de seu senso de humor, Melinda parece deprimida. De que forma se evidencia sua depressão? Como as pessoas ao redor reagem ao seu comportamento? Acha que as reações delas são adequadas? Como você reagiria?

- Qual o papel dos rumores na história? Analise como os boatos e a verdade podem estar relacionados. Um tem mais poder que o outro?

- Reflita sobre o diálogo escrito travado entre Melinda e Rachel na biblioteca. Fale sobre a reação de Rachel ao que Melinda lhe revela. Por que você acha que ela se comportou daquela forma? Ela acredita em Melinda?

- Como a natureza se manifesta ao longo da narrativa e contribui para seu significado? Avalie como se poderia deduzir que as mudanças de estação refletem a habilidade de falar de Melinda.

- É possível falar sem o uso da linguagem oral? Encontre trechos no livro que confirmem sua posição.

- Analise o final do livro e a relevância da última cena.

- O que finalmente permite que Melinda fale?

ABUSO SEXUAL NO BRASIL

Denuncie já! Fale sempre! Jamais silencie!
Você não está sozinha(o). Você merece solidariedade,
compreensão e ajuda.

18 de Maio: Dia Nacional de Combate ao Abuso e à
Exploração Sexual de Crianças e Adolescentes.

No Brasil, a cada 8 minutos, uma criança é vítima de abuso sexual. A grande maioria das vítimas são meninas com idade entre 2 e 15 anos. É estimado que o abuso sexual contra crianças e adolescentes atinja mais de 30% da população. Aproximadamente 60% das vítimas são atacadas por alguém que conhecem.

A cada 12 segundos uma mulher é violentada no Brasil.

Uma em cada 8 vítimas de abuso sexual na infância passará a abusar sexualmente de outras crianças quando atingir a idade adulta.

A Organização Mundial da Saúde (OMS) estima que apenas 2% dos casos de abuso sexual contra crianças e adolescentes, nos casos em que o agressor é parente próximo, chegam a ser denunciados à polícia.

Se você suspeitar ou tiver conhecimento de alguma criança ou adolescente que esteja sofrendo qualquer tipo de violência, DENUNCIE!

As denúncias podem ser feitas em uma dessas instituições:

- Conselho Tutelar da sua cidade: os CTs foram criados para zelar pelo cumprimento dos direitos das crianças e adolescentes. A eles cabe receber a notificação e analisar a procedência de cada caso, visitando as famílias. Se for confirmado o fato, o Conselho deve levar a situação ao conhecimento do Ministério Público. Varas da Infância e Juventude podem receber as denúncias nos municípios onde não há CTs.

- Escola, com os professores, orientadores e/ou diretores.
- Disque 100: Atendimento telefônico da Secretaria de Direitos Humanos (ou pelo e-mail disquedireitoshumanos@sdh.gov.br) — canal gratuito e anônimo; ou +55 61 32128400 para ligações de fora do Brasil (serviço gratuito).
- Central de Atendimento à Mulher (180). Linha gratuita e que funciona 24h para denúncias de violência contra a mulher/adolescente.
- Qualquer delegacia e principalmente as Delegacias de Proteção à Criança e Adolescente. Delegacias da Mulher.
- www.fia.rj.gov.br
- Polícia Militar, Polícia Federal ou Polícia Rodoviária Federal (Disque 190).

Em agosto de 2006 foi aprovada a Lei Maria da Penha (www.mariadapenha.org.br), que visa coibir qualquer tipo de violência contra a mulher. Foram criadas delegacias especiais para cuidar desses casos. Voluntárias que já sofreram algum tipo de abuso criaram uma rede social com o intuito de dar suporte e força (www.leimariadapenha.com.br).

Outros canais de ajuda:
- www.comitenacional.org.br
- www.cecria.org.br
- www.recrianacional.org.br
- www.childhood.org.br
- www.safernet.org.br
- www.direitoshumanos.gov.br

Informações Complementares

Quando uma denúncia é feita sem que a pessoa fragilizada busque o serviço, o local correto deve ser a Secretaria de Direitos Humanos (www.sdh.gov.br), através do Disque

Denúncia Nacional de Abuso e Exploração Sexual Contra Crianças e Adolescentes (Disque 100), que é coordenado e executado pela Secretaria Especial dos Direitos Humanos da Presidência da República. O serviço funciona diariamente das 8h às 22h, inclusive nos finais de semana e feriados. As denúncias recebidas são analisadas e encaminhadas aos órgãos de defesa e responsabilização, conforme a competência, num prazo de 24h. A identidade do denunciante é mantida em absoluto sigilo.

O SUS (Sistema Único de Saúde) recebeu em seus hospitais e clínicas uma média de duas mulheres por hora com sinais de violência sexual em 2012, segundo dados do Ministério da Saúde. No Brasil, segundo o Sistema de Vigilância de Violências e Acidentes (Viva) do Ministério da Saúde, mais de 18.000 mulheres deram entrada no sistema público de saúde em 2012 apresentando indícios de terem sofrido violência sexual. Segundo números do Disque 100, de janeiro a abril de 2012 foram recebidas mais de 34.000 denúncias de violações de direitos contra crianças e adolescentes. Em comparação com 2011, houve aumento de 71% no número de denúncias, sendo que 22% das notificações registram violência sexual.

Dados preliminares do Ministério da Saúde mostram que a violência sexual ocupa o segundo lugar entre notificações de violência doméstica, sexual, física e outras agressões contra crianças na faixa etária de 10 a 14 anos, com 10,5% das notificações, ficando atrás apenas da violência física (13,3%). Na faixa de 15 a 19 anos, esse tipo de agressão ocupa o terceiro lugar, com 5,2%, atrás da violência física (28,3%) e da psicológica (7,6%). Os dados apontam também que 22% do total de registros (3.253) envolveram menores de 1 ano. O percentual é maior em crianças do sexo masculino.

NOS ESTADOS UNIDOS

1 entre 6 mulheres será vítima de agressão sexual ou estupro. Relata-se a ocorrência de um estupro a cada cinco minutos. Especialistas estimam que apenas 16% de todos os estupros são denunciados à polícia.

Quase a metade de todas as vítimas de estupro e violência sexual é de garotas com menos de 18 anos.

Moças com idade entre 16 e 19 têm 4 vezes mais chance que a população em geral de serem vítimas de estupro, tentativa de estupro e agressão sexual.

A maioria das adolescentes vítimas de estupro ou agressão sexual são atacadas por alguém que conhecem.

17,7 milhões de mulheres norte-americanas já foram vítimas de tentativa de estupro ou de abuso sexual.

Rapazes e garotos também podem ser vítimas de agressão sexual

1 entre 33 rapazes será vítima de agressão sexual ou estupro.

Em 2003, 10% das vítimas de estupro eram do sexo masculino.

As vítimas de agressão sexual têm:

3 vezes mais chance de sofrer de depressão.
6 vezes mais chance de sofrer de transtorno de estresse pós-traumático.
13 vezes mais chance de consumir bebidas alcoólicas em excesso.
26 vezes mais chance de consumir drogas.
4 vezes mais chance de pensar em cometer suicídio.

Agradeço profundamente todos que leram meus originais e me deram força para que eu publicasse: o Bucks County Children's Writers Group, Marine Brooks, Hillary Homzie, Joanne Puglia, Stephanie Anderson, Meredith Anderson e Elizabeth Mikesell, minha talentosa e apaixonada editora.

Obrigada, obrigada.

Papel: Pólen Soft 70g
Tipo: Bembo
www.editoravalentina.com.br